CROQUIS

Henry Gréville

Lébedka

Serge Manourof était grand chasseur, par goût d'abord, par habitude ensuite : quand on passe toute l'année en province et qu'on peut chasser sur ses propres terres, sans permis ni garde champêtre, on aurait bien tort de négliger le seul ou à peu près le seul plaisir vraiment digne d'un homme que puisse offrir la solitude.

Serge aimait aussi les chevaux. Depuis un temps immémorial, les Manourof avaient fondé un haras superbe, où les propriétaires des environs se fournissaient d'étalons et de poulinières. Les produits de ce haras n'étaient pas très nombreux, mais ils étaient tous remarquables par leur perfection. Serge passait une vie heureuse entre son haras et son fusil.

Mais pour chasser, un fusil ne suffit pas, il faut des chiens, et Serge avait une meute, – non pas une meute bruyante, pour la montre, mais une collection de chiens bien choisis, bien appareillés, capables de chasser, ensemble ou isolément, suivant leurs aptitudes diverses, le renard, l'ours, le lièvre ou le gibier à plume. Le chenil était bien tenu, les portées soigneusement comptées, et jamais aucun chien n'était vendu.

– Le chien, disait Serge, est une trop noble bête pour qu'on puisse le payer avec de l'argent.

Il donnait donc ses chiens, – car il n'était pas avare.

La reine du chenil, et aussi de la maison, était *Lébedka*, grand lévrier femelle de Sibérie, aux poils d'argent, sans tache, frisés et soyeux comme ceux d'une chèvre d'Angora. Elle était si grande, qu'assise sur son séant elle dominait la table de toute la hauteur de son cou de cygne et de sa longue tête fine. Pendant le dîner, si son maître l'oubliait, elle lui léchait le cou, sans autre effort que de lever un peu le museau, et lui rappelait ainsi sa présence. Elle obtenait alors le petit morceau de pain blanc objet de ses désirs, la seule friandise que lui permît Manourof.

Lébedka, dont le nom veut dire « cygne », méritait cette noble appellation par la grâce de son allure. Quand elle forçait le lièvre à la course, ses quatre pattes allongées formaient avec son corps une seule ligne à peine onduleuse ; elle était si légère, qu'elle ne laissait presque pas d'empreinte sur la terre meuble ; sa douceur n'avait pas d'égale ; sa soumission sans borne lui faisait braver son instinct jusqu'à quitter la piste au sifflet de son maître, tandis qu'aucun appel étranger ne lui faisait seulement dresser l'oreille.

Lébedka avait trois ans et demi. C'est l'âge où un chien a donné la mesure de ses qualités. La jolie bête avait prouvé qu'elle était parfaite, – parfaite au point de n'avoir agréé pour époux que le plus beau, le plus blanc des lévriers de la meute, un superbe animal presque aussi remarquable qu'elle-même, mais marqué d'une tache grise à l'oreille, et moins irréprochable à la chasse.

Aussi Serge avait-il refusé cent fois de se séparer de sa chienne. Il avait donné les petits lévriers de son unique portée, – il n'était pas avare, nous l'avons dit, – mais il n'en voulait pas élever d'autres, de peur de fatiguer Lébedka. Elle était si belle, si blanche, si douce ! Elle allait et venait dans la maison avec l'air royal d'une souveraine qui sait que tout lui appartient. Elle s'allongeait aux pieds de son maître ou derrière sa chaise pendant le jour, – elle dormait sur une natte au pied de son lit, et dès qu'il ouvrait les yeux, à toute heure de la nuit, il rencontrait le regard de ses yeux bruns, profonds et doux comme des yeux de Circassienne, avec une expression d'intelligence et de bonté qui n'appartient point à l'homme.

Certain propriétaire des environs, nommé Marsine, s'était pris de passion pour Lébedka. Il l'avait vue à la chasse, et savait ce qu'elle valait. D'ailleurs, il possédait un lévrier gris de fer, et son idée était d'en perpétuer la race. Lébedka lui paraissait seule digne de prolonger la dynastie de son lévrier.

Il fit part de son idée à Manourof, mais n'obtint qu'un médiocre succès.

– Lébedka est à moi, dit le jeune homme, je me la suis réservée ; je suis fâché de te la refuser. Choisis parmi les autres chiennes de son espèce celle qui te plaira ; je te la donne de grand cœur, mais Lébedka est à moi.

Marsine ne se rebuta point d'un premier échec. Il était de ceux qui obtiennent souvent par importunité ce qu'on est fâché de leur donner. Il revint à la charge.

– Je ne te demande pas de me la donner, je te prie de me la vendre ! dit-il quelques semaines plus tard. Veux-tu cinq cents roubles argent ?

– Je ne suis pas marchand de chiens, répondit Serge, et Lébedka vaut bien plus de cinq cents roubles. Choisis dans mon chenil la chienne que tu voudras, te dis-je, et laisse-moi tranquille.

Quelques mois après, Manourof se trouva bien embarrassé. On lui demandait une *troïka* de chevaux noirs.

Il avait bien au haras deux superbes chevaux de volée, noirs et brillants comme le jais, – mais le cheval de brancard ne se trouvait pas. Il faut pour cet usage une bête solide, large du poitrail et de la croupe, ferme de l'échine, et capable de supporter à un moment donné la masse de l'équipage, qui en réalité se trouve peser uniquement sur elle.

Serge parlait un jour de son embarras devant Marsine, qui était venu dîner avec lui à la mode de la campagne, sans cérémonie et sans invitation.

– J'ai ton affaire ! dit Marsine, qui avait aussi un haras. Mes chevaux sont moins jolis, mais plus robustes que les tiens. Tu ne fais que des chevaux de luxe, toi !

– J'aime tout ce qui est beau, répondit placidement Manourof.

Lébedka vint poser sa tête sur l'épaule de son maître, et le regarda avec tendresse.

– C'est parce que tu es belle que je t'aime ! dit-il à son lévrier, et il baisa doucement la tête serpentine aux yeux d'agate.

– Veux-tu que je te fournisse un cheval ? reprit Marsine.

– Je ne demande pas mieux. Qu'en veux-tu ?

– Troquons ! Donne-moi ta chienne, tu auras mon cheval.

– Grand merci, c'est trop cher ! répondit Serge en riant. Nous sommes deux camarades, Lébedka et moi. Je ne vendrais pas mon frère, – trouve bon que je garde ma belle amie. D'ailleurs, elle ne voudrait pas te suivre.

Marsine ne répondit pas, et lança un mauvais regard au superbe animal.

– Est-ce vrai, dit-il après un silence assez prolongé, – est-ce vrai, Lébedka, que tu ne voudrais pas de moi pour maître ?

La bête tourna la tête vers lui d'un air indifférent, et reporta ses yeux sur Serge.

– Veux-tu aller avec lui ? demanda celui-ci en indiquant Marsine.

Lébedka se dressa avec la grâce paresseuse de sa race ; une ondulation serpentine parcourut son corps ; elle s'étira longuement sur ses pattes de devant, puis s'approcha de Marsine, qu'elle flaira de tous côtés. Celui-ci avançait la main pour la flatter, – elle recula avec un grondement de menace, en montrant ses dents blanches et pointues comme des aiguilles.

Serge se mit à rire.

– Vous feriez mauvais ménage, dit-il ; allons, allons, ma belle, viens ici, laisse-le tranquille.

Non sans gronder encore, la noble bête obéit. Marsine la suivit d'un regard haineux.

– Quand tu seras à moi, pensait-il, il faudra bien que tu cesses de m'en vouloir !

Un mois s'écoula. Serge avait trouvé ailleurs le cheval dont il avait besoin ; les chasses d'automne avaient commencé, et tous les matins, avant le lever du soleil, il s'en allait aux champs avec Lébedka. Jamais ils ne rentraient sans rapporter deux ou trois lièvres, artistiquement pris par la chienne, qui ne tachait jamais d'une goutte de sang la robe de neige dont elle était fière : – d'un coup de dent, elle cassait les reins au pauvre animal, sans gâter la fourrure. Serge avait tapissé le parquet de sa chambre avec la peau des lièvres qu'elle lui avait ainsi rapportés.

En revenant d'une foire de district, Marsine s'arrêta pour passer la nuit chez son ami. Le lendemain matin, il fut de la partie. En voyant à l'œuvre la belle chasseresse, il sentit revenir plus ardent que jamais le désir de se l'approprier.

– Vends-moi ta bête, Serge, je t'en supplie, dit-il à Manourof.

– Je t'ai déjà dit que non, répondit celui-ci avec quelque sécheresse. Je ne comprends pas comment tu ne comprends pas que cela m'ennuie de te refuser quelque chose, ajouta-t-il en riant, afin de pallier la dureté de sa réponse.

– Je te la volerai, alors, dit brutalement Marsine.

– Essaie ! répondit Serge, croyant à une plaisanterie. Tu ne l'auras pas depuis deux heures, qu'elle aura déjà repris le chemin de chez nous.

À l'heure du déjeuner, les deux amis se dirigèrent vers la maison. Désireux de ne pas témoigner d'humeur à son voisin, Serge déploya plus de cordialité que jamais.

La pluie s'étant mise à tomber, la promenade n'était plus possible : Marsine proposa une partie de piquet ; on apporta des cartes.

Manourof n'était pas très habile au jeu. Comme tous ceux que cela ennuie, il était distrait, et sa distraction finit par lui coûter cher. Il avait perdu une assez grosse somme lorsqu'il devint nerveux, sa mauvaise chance l'agaçait, – non pour l'argent perdu, mais à cause d'un vieux levain de superstition qui naît avec le Russe, et que la vie de campagne ne contribue pas peu à développer.

– C'est un mauvais jour ! dit-il avec dépit en se voyant battu pour la cinquième fois.

– Pas pour moi, fit observer Marsine en mêlant les cartes avec un sourire machiavélique. Ne jouons plus d'argent, veux-tu ?

– Quoi, alors ?

– Jouons des chevaux.

– C'est une idée ! s'écria Serge. Voyons si la chance est meilleure avec les chevaux qu'avec les roubles.

Il se remit au jeu avec une ardeur nouvelle, gagna, perdit, perdit encore, et finalement se trouva débiteur de trois poulains et d'un millier de roubles.

– Je perdrais jusqu'à minuit, dit-il, découragé, ce n'est pas la peine de continuer.

– Veux-tu que je te donne ta revanche ? dit Marsine. Je te joue tout ce que tu as perdu... contre...

– Contre quoi ?

– Contre Lébedka.

– Grand merci ! dit Serge en riant, j'aime mieux te payer... Mais quelle ténacité ! continua-t-il en se dirigeant vers son bureau, où il prit la somme qu'il avait perdue. Tu n'as pas des masses d'idées, mais celles que tu as te tiennent bien.

– Ta chienne me plaît..., répondit Marsine en regardant par la fenêtre.

– Eh bien, mon cher, tu pourras te vanter d'avoir eu dans ta vie une passion malheureuse.

La nuit venait ; le dîner fut servi, puis Marsine demanda son équipage, malgré la pluie qui n'avait pas cessé.

– Je ferai conduire demain chez toi les chevaux que tu m'as gagnés, dit Serge comme son ami prenait congé de lui.

– Ce n'est pas la peine, ne te presse pas. Je viendrai les chercher, ou bien j'enverrai.

Voyant la porte ouverte, Lébedka mit le bout de son museau à l'air ; la fraîcheur humide la tenta, et elle sortit sans se presser, avec un joli balancement de hanches qui faisait luire comme de l'argent les longues mèches soyeuses de sa blanche toison. Serge n'y prit pas garde.

Marsine la regarda disparaître dans la nuit noire, et prit son mouchoir de poche à la main.

– Je crois que je m'enrhume, dit-il. Écoute, Serge, encore une proposition... la dernière... Veux-tu tout ce que tu as perdu aujourd'hui... et mon plus beau cheval... pour ta chienne ?

Manourof secoua la tête négativement.

– Je double l'offre !... fit Marsine comme saisi de la fièvre.

Il tremblait d'agitation nerveuse. Ses yeux brillaient, et ses mains tordaient avec une sorte de crispation le mouchoir qu'il tenait toujours.

– Veux-tu une troïka de mes meilleurs chevaux et trois mille roubles comptant ?

– Non ! dit Serge. Tu me fais de la peine, mon cher ami ; mais quand j'ai dit non, c'est non.

– Soit ! dit Marsine qui parut calmé. Sans rancune ; au revoir.

Serge voulait l'accompagner sur le perron avec son valet de chambre.

– Ce n'est pas la peine, dit Marsine. Il fait un temps abominable ; rentre, tu vas t'enrhumer.

En sortant, il heurta si maladroitement le domestique que celui-ci fit un faux pas ; la bougie qu'il tenait à la main s'éteignit. Il jura plus tard que Marsine l'avait soufflée ; mais dans le moment, son maître l'appela *dourak* (imbécile) et l'envoya en chercher une autre.

Pendant ce temps, Marsine était sorti, fermant la porte derrière lui. Serge rentra à pas lents dans le salon ; il y était depuis un moment, lorsqu'il entendit le bruit des roues quittant le perron.

– Il aura eu de la peine à s'installer sans lumière, pensa-t-il ; tant pis pour lui, il m'ennuie, ce garçon-là !

Il s'assit sur le canapé, et au bout d'une seconde, chercha quelque chose autour de lui.

– Tiens ! se dit-il, Lébedka n'est pas rentrée. Avec le temps qu'il fait, elle va être abominablement sale.

Il prit son manteau, et sortit sur le perron. Ses yeux essayèrent vainement de découvrir la tache blanche que faisait ordinairement le lévrier dans l'obscurité ; il siffla doucement, puis plus fort ; – rien ne répondit. Il lança alors dans la nuit un appel si aigu que toute la maison accourut.

– Lébedka est perdue, dit-il. Cherchez-la.

Il ne voulait pas dire tout haut ce qu'il pensait. – Il ne pouvait pas dire à ses gens que son ami lui avait volé son chien ! Des valets munis de torches parcoururent bientôt toute l'enceinte des communs et du jardin. Mille appels se firent entendre, – vainement !

Serge rentra, le cœur gros : il avait bonne envie de pleurer, si bonne envie qu'il se mit les poings sur les yeux en se disant avec énergie : – Je ne veux pas !

La perte de la chienne lui était bien douloureuse, – mais, si fort qu'il l'aimât, il l'aurait peut-être bien donnée pour que son ami n'eût point commis cette action sans nom.

Au bout d'un instant, la solitude lui parut si lourde, qu'il retourna sur le perron. Par habitude plutôt que par espoir, il lança encore dans l'espace un coup de sifflet perçant. Un faible aboiement, lointain comme un écho, lui répondit.

Il tendit l'oreille et recommença. Plus près, derrière la forêt, le même aboiement se fit entendre. Serge rappela ses gens et leur indiqua la direction. Déjà un palefrenier à cheval, muni d'une torche, se dirigeait vers la porte de l'enclos, qu'il allait ouvrir. Une masse blanche franchit d'un bond la claire-voie, haute d'une toise, et tomba aux pieds de Serge. C'était Lébedka. Elle se roula deux ou trois fois aux pieds de son maître en gémissant de joie, et resta pâmée.

Il l'enleva, ma foi ! dans ses bras, lourde et couverte de boue comme elle l'était, et l'emporta dans le salon, sur le canapé. Tous les gens l'y suivirent, oubliant le décorum, dans leur joie : ils aimaient la bonne bête, qui n'avait aucune peccadille sur la conscience.

On roula Lébedka dans des couvertures, on lui fit boire du lait chaud, et elle n'eut pas même un rhume de cerveau.

Marsine seul aurait pu raconter de combien de morsures elle avait émaillé ses mains et ses bras : il garda le silence.

Dans sa joie, Manourof avait presque pardonné la perfidie de son ami ; l'affection dont Lébedka venait de lui donner une preuve éclatante lui faisait prendre en pitié le malheureux qu'elle accablait de sa haine.

Il se garda bien d'envoyer à son ex-ami les chevaux que celui-ci lui avait gagnés.

– J'aurais l'air de vouloir rompre, se dit-il ; qu'il vienne lui-même ou qu'il les envoie chercher.

Huit jours s'écoulèrent sans que Marsine donnât signe de vie ; enfin, le dimanche suivant, de hon matin, son cocher vint réclamer de sa part les chevaux qu'il avait gagnés.

Serge, suivi du messager, se rendit au *taboun*, – on appelle *taboun* un troupeau de chevaux, et par extension l'enceinte palissadée dans laquelle sont enfermés les chevaux pendant la belle saison – il choisit en sa présence trois bêtes sans défaut ni vice, et leur fit passer une longe. Trois palefreniers les firent sortir non sans quelque difficulté, et les dirigèrent vers la maison.

Pendant cette opération, Lébedka avait suivi son maître comme toujours. Le cocher de Marsine semblait ne pas même l'avoir vue. Au moment où Serge surveillait attentivement la fermeture du cadenas à secret qui assujettissait la porte de son *taboun*, le cocher présenta à la chienne dans le creux de sa main une friandise sans doute fort appétissante, car elle l'avala sans hésitation et se pourlécha ensuite d'un air satisfait. La chose était si bien de son goût, qu'elle vint à plusieurs reprises flairer les poches du cocher ;

mais celui-ci, indifférent, sembla n'avoir jamais fait attention à elle.

Il partit, du reste, sur-le-champ, prétextant la nécessité de parcourir en plein jour, avec ces jeunes chevaux encore peu dressés, la route longue et difficile qui menait chez son maître.

– Comme tu voudras. Que le bon Dieu t'accompagne ! dit Serge, qui caressa une dernière fois le museau de ses poulains.

En entrant dans la cour, il fut très étonné de voir Lébedka s'approcher de l'auge placée auprès du puits, et y boire à longs traits.

– Il ne fait pas chaud, pourtant, se dit-il, – et ce n'est pas son heure !...

Puis il se rendit au salon et se mit à pianoter. Rien n'est long comme les après-midi du dimanche à la campagne, quand il ne vient pas de voisins.

Deux ou trois fois, Lébedka demanda à sortir ; elle rentrait au bout d'un moment et se recouchait sur le tapis, mais, contrairement à son habitude, elle ne dormait pas. Ses yeux, fixés sur ceux de son maître, exprimaient une sorte d'angoisse.

À trois heures, le valet de chiens vint la chercher pour la soupe. Elle le suivit d'un air morne.

– C'est singulier ! se dit Serge en la voyant passer. Lébedka engraisse ! Il faudra que j'y veille.

Et il entama une autre valse. Au bout d'une minute, le valet de chiens rentra effaré. – Votre Honneur, dit-il, Lébedka refuse la soupe.

– Hein ? fit Serge en se levant.

– Elle boit tout le temps ! Voilà la quatrième fois qu'elle boit depuis une heure.

– Qu'est-ce que ça veut dire ? murmura Serge. Ce n'est pas naturel !...

– Non, Votre Honneur, ce n'est pas naturel ! répéta le valet de chiens d'un air concentré.

Serge leva la tête. Leurs yeux se rencontrèrent. Le jeune homme pâlit et sortit rapidement.

Lébedka était couchée dans la cour, devant l'écuelle pleine ; elle ne pouvait plus se tenir debout ; sa respiration haletante faisait battre ses flancs démesurément gonflés... En voyant son maître, elle essaya de se lever, et cet effort lui fit rendre un peu d'eau. Elle laissa retomber sa belle tête blanche et fine.

Serge mit un genou en terre auprès d'elle, et la caressa doucement.

Toute la maison se tenait alentour, attentive, respectueuse et muette. Tous aimaient leur maître et savaient qu'un grand chagrin l'attendait.

Serge passait doucement sa main sur la tête du lévrier qui le remerciait du regard. Il se hasarda à parcourir d'une main compatissante ce pauvre corps déformé, gonflé outre mesure. Comme il approchait de la région de l'estomac, Lébedka poussa un cri plaintif, et un peu d'eau sortit encore de sa bouche.

– Qu'est-ce que cela veut dire ? demanda Serge stupéfié par la soudaineté du coup.

– Elle a avalé une éponge frite... répondit le valet de chiens.

De toutes les cruautés que l'homme peut exercer envers la bête, celle-ci est la plus odieuse. Quand on veut se débarrasser d'un chien, on fait frire une éponge dans du beurre très salé ; l'éponge se ratatine et devient toute petite. Bientôt l'animal a soif, – il boit, et l'éponge, débarrassée du beurre par la chaleur de l'estomac, se gonfle peu à peu ; la pauvre bête, toujours altérée, boit de plus en plus, jusqu'à ce que l'extrême distension de l'estomac amène la mort. Il n'y a ici ni contrepoison ni remède. C'est une mort lente, certaine, précédée d'une agonie épouvantable.

– En es-tu sûr ? demanda Serge, blême d'indignation.

– Je l'ai vue flairer le cocher, répondit le valet de chiens ; c'est ce lâche Marsine qui l'a tuée... Je vous demande pardon, Votre Honneur, dit-il confus en s'apercevant qu'il venait d'insulter un noble, lui simple serf.

– Lâche, en effet ! murmura Manourof. Ne pouvant pas l'avoir, il n'a pas voulu me la laisser... Elle va mourir ? demanda-t-il.

– Oui, Votre Honneur.

– Dans combien de temps ?

Le valet de chiens hésita.

– Dans trois ou quatre heures... peut-être demain. Elle est très robuste, ce sera long.

– Tu es sûr qu'il n'y a pas de remède ?

Le valet de chiens fit de la main un triste geste négatif.

Serge monta à sa chambre, prit un revolver, le chargea, l'arma, et redescendit. Lébedka avait fermé les yeux ; une écume blanche lui venait sur les lèvres par moments ; elle poussait de temps en temps un gémissement aigu, se débattait, et retombait épuisée. Serge se pencha sur elle, – il ne retenait plus ses larmes, qui tombèrent, rapides et chaudes, sur la tête intelligente de son amie.

– Adieu, dit-il, ma belle, ma bonne Lébedka, – tu étais trop bonne et trop belle... adieu...

Il l'embrassa sur le front, et lui lâcha son revolver dans l'oreille. Elle tressaillit – et ne remua plus.

Pendant longtemps, Serge garda dans son revolver une balle pour Marsine. C'est aux prières et aux larmes de la vieille madame Manourof, – la mère de Serge, – que le misérable doit d'être encore de ce monde.

Le rendez-vous

Ceci remonte bien loin, si loin qu'en y pensant je ne puis m'empêcher de sourire, tout comme si mon aventure était arrivée à une autre... Pourtant, le portrait que je vois d'ici, suspendu en face de ma chaise longue, avec ses boucles blondes et ses yeux rêveurs, est bien le mien, – du moins celui de la femme que j'étais il y a trente-cinq ans, alors qu'on portait des manches plates et des boucles à l'anglaise.

J'étais veuve, – et depuis assez longtemps pour qu'il me fût très agréable de retourner dans le monde. J'avais porté le deuil deux ans, dont un avec le crêpe, et vraiment c'était fort convenable. Par une habile transition, j'avais passé du noir au gris, du gris au lilas, du lilas au rose pâle, et du rose pâle au bleu tendre, ma couleur favorite, si bien et si doucement que personne ne s'en était aperçu, sauf la couturière, dont le mémoire accusait trois robes grises là où le bon public avait cru n'en voir qu'une. Affaire de nuances !

J'en étais au bleu tendre, avec des roses dans les cheveux, lorsque je rencontrai chez une de mes amies le comte Alexis B... C'était le plus charmant causeur de cette époque, où chacun se piquait du bel esprit : il portait des cheveux à la lord Byron, avait été l'ami de notre Lermontof, à jamais regretté, et de plus, à la promenade, il avait une façon de se draper dans son manteau d'ordonnance qui faisait tourner toutes les têtes. La mienne n'était pas plus forte que les autres, et ne tint pas plus longtemps ; il est vrai que le comte Alexis y mettait du sien, comme on dit à présent, car il m'offrait ses hommages de la façon la moins équivoque.

Au bal, il était mon cavalier pour la mazurka ; au concert, il se trouvait toujours derrière ma chaise, et à la promenade, sa calèche, dans laquelle il se drapait si superbement à l'aide du fameux manteau, passait et repassait dix fois devant la mienne. Que pouvais-je opposer à tant de séductions ?

Cependant, il ne pouvait être question d'épouser le comte Alexis. Mes plus chères ennemies prenaient trop de soin pour me le faire agréer, et mes amies véritables, celles qui avaient passé l'âge de nuire, m'en détournaient avec trop d'instances. Le comte Alexis était un incomparable cavalier servant, mais il était perdu de dettes, et de plus, disait-on, fort mauvais sujet. C'eût été, à ce qu'il paraît, un de ces maris qui tournent le dos à leur femme au bout de huit jours de mariage ! J'avais un fils, je lui devais de garder intacte la fortune de son père ; si je me remariais, ce devait être à un homme sage et prudent, qui fît bon usage de notre argent... Bref, je ne pouvais épouser le comte Alexis, tout le monde était d'accord sur ce point, moi la première.

Oui ; mais il était charmant ! Ses yeux noirs, ses récits du Caucase, – on n'en parlait alors qu'avec un lyrisme exalté, – ses folies mêmes avaient pour moi un attrait irrésistible. Tous les soirs je le rencontrais quelque part, et si par un accès de raison je restais chez moi, vers dix heures il se faisait annoncer, demandant la faveur d'une tasse de thé... Pouvais-je la lui refuser ? Je l'accordais, et ces entretiens, à la lueur adoucie de la lampe, dans la solitude de mon petit salon, me paraissaient plus redoutables que tout le reste.

Je sentais si bien le danger, que je lui défendis un soir de revenir. Il protestait avec son éloquence accoutumée...

– Non, lui dis-je, c'est inutile ; tout cela ne mène à rien, nous perdons notre temps : vous à me demander, moi à me défendre. Cher comte, vous êtes irrésistible, mais je ne vous épouserai pas.

Alexis prit un air amer et fatal qui lui seyait à merveille.

– Maudite fortune, murmura-t-il, qui met un gouffre entre vous et moi ! Que n'êtes-vous pauvre ! Avec quelle joie je vous eusse acclamée mon épouse !

Je secouai la tête.

– Ce n'est pas ma fortune, lui répondis-je, c'est le peu de fonds que l'on peut faire sur vous.

– Sur moi ? Quelle calomnie ! s'écria mon amoureux en bondissant.

Il s'adossa à la cheminée et déclama quelques vers qui peignaient l'état de son âme. Il était superbe ainsi, et ses yeux me magnétisaient...

– Vous êtes un mauvais sujet, lui dis-je, en souriant, mais les yeux baissés, car je me sentais faiblir ; vous êtes adoré de toutes les femmes, – et c'est trop pour être aimé d'une seule.

Il sourit à son tour. Une rose s'épanouissait dans un verre d'eau sur la table auprès de moi ; c'était lui qui me l'avait apportée.

Il la prit et l'effeuilla à mes pieds.

– Toutes devant une, dit-il en m'indiquant les pétales parfumés qui jonchaient le tapis.

C'était peut-être de très mauvais goût, je n'en sais rien ; c'était puéril et déclamatoire, et par-dessus le marché, cela ne voulait rien dire du tout ; – mais grâce aux yeux noirs et à la poésie, je me sentais profondément touchée.

– Allez-vous-en, lui dis-je à voix basse.

C'était m'avouer hors d'état de continuer la lutte. Le comte le comprit et se précipita à mes pieds.

– Que faites-vous ? m'écriai-je, c'est insensé ! On peut venir... vous me perdez !

Alexis était un grand vaurien, mais il n'était pas bête ; il se releva aussitôt, s'assit à une distance semi-respectueuse et commença à me débiter un petit discours.

Il le récitait fort bien, – grâce, je suppose, à une longue habitude de le tirer de sa mémoire à point nommé. C'étaient les liens fatals de la société, l'esclavage de ses propres serviteurs, le peu de gré que le monde vous sait de vous soumettre à ses lois baroques, le bonheur de causer librement loin des yeux importuns... Ici une pause... La joie ineffable de se parler à cœur ouvert, de rêver ensemble, de se perdre dans le bleu... – Ici une autre pause, plus longue.

J'écoutais, bercée par ce flux de paroles, – je trouvais cela magnifique !

Il me semblait que la poésie elle-même planait au-dessus de nous et nous protégeait de ses ailes sans tache. Qui donc oserait croire au mal sous l'égide de la poésie ? N'est-elle pas immaculée ? ne purifie-t-elle pas tout ce qui croit à l'ombre de ses ailes ?

Le comte Alexis me disait tout cela, et j'écoutais, ravie, – ravie surtout de ne pas être forcée de répondre, car je n'aurais su que lui dire.

Changeant de sujet brusquement, il se mit à parler du Caucase. Aujourd'hui, les marchands de la Perspective vendent des étoffes, des bibelots, des armes de provenance authentique, et moyennant une somme d'argent, on peut se créer un paradis d'émir. Mais alors, le Caucase était dans la fleur de la nouveauté ; quelques officiers avaient rapporté des merveilles, et c'était le rêve des belles que de posséder quelque étoffe, quelque bijou provenant de cet Éden plein de coups de feu et d'essence de roses.

– C'est au Caucase, disait Alexis, que j'aurais voulu vivre avec vous, vous si belle, si noble, si courageuse ! – Je n'étais pas courageuse du tout, mais il n'en savait rien. – Au milieu de ces montagnes, dans les replis d'une vallée ombragée de grands chênes, nous aurions vécu heureux, oubliant, oubliés ! J'aurais étendu sous vos pieds les tapis les plus moelleux – il piétinait avec dédain une superbe moquette veloutée d'Aubusson, qui m'avait coûté soixante francs le mètre ; mais je trouvais les tapis de Perse bien supérieurs, naturellement ! – J'aurais déployé devant vous les soies brochées de l'Orient ; les colliers d'ambre et de perles auraient roulé dans vos mains royales... À propos, s'interrompit-il en se tournant vers moi, savez-vous que j'ai rapporté de là-bas de quoi meubler un palais ?

On m'avait parlé du boudoir circassien du comte Alexis, mais l'hôte de ce boudoir m'intéressait assez pour avoir empêché ma curiosité de s'attacher à ce qui lui appartenait.

– J'en ai entendu parler, dis-je d'un air distrait.

Il se mit alors à m'énumérer ses richesses, à faire chatoyer devant mon imagination tous les objets étranges et charmants qui meublaient son appartement, et quand il me vit bien affriolée par sa description :

– À quoi sert d'en parler ? dit-il avec un soupir, il faut le voir !

Je soupirai instinctivement, par écho sans doute.

– Mais, princesse, s'écria tout à coup mon héros, comme sortant d'un rêve, pourquoi n'iriez-vous pas ?

– Comte ! fis-je indignée, – avec un secret plaisir d'être conviée cependant.

– En tout bien tout honneur ! reprit-il de l'air le plus jésuitique. Je suis absent de chez moi tout le jour... si vous voulez bien faire à mes pauvretés l'honneur de leur accorder un regard, vous êtes sûre que l'hôte de ce logis n'offensera point vos yeux de sa présence.

– Mais, fis-je dévorée du démon de la curiosité, et aussi, il faut le dire, brûlée d'un ardent désir de voir le lieu qu'habitait ce mortel séduisant, une semblable démarche me perdrait...

– Vous n'avez pas besoin d'y venir en plein jour, reprit mon tentateur : le soir, vers huit heures, quand la nuit est tombée, un escalier donnant sous la porte cochère vous amène droit dans mon cabinet, sans passer sous les yeux du suisse qui garde l'escalier. Mes domestiques mêmes n'en sauront rien : cette petite clef ouvre la porte...

Il me présentait une clef – quelle clef ! grande comme une clef de montre, en or ciselé, garnie de rubis... Cette clef eût perdu une sainte, tant elle promettait de merveilles. Il la déposa devant moi ; je gardais le silence.

– Quel jour ? dit-il tout bas.

Je repoussai la clef.

– Non, comte, je n'irai pas.

– Je vous demande quel jour, afin de ne pas être exposé à vous rencontrer... puisque je vous ai promis que vous ne me verrez pas...

Enfin, ce qu'il y a de positif, c'est que cinq minutes après j'étais seule, la clef dans la main, et j'avais promis d'y aller le lendemain soir.

Je passe sous silence l'histoire de mes remords, de mes agitations, de mes résolutions prises et délaissées. Je me jurai trente-deux fois que je n'irais pas, – mais je me représentai trente-trois fois que je ne courais aucun risque, que la parole d'un honnête homme devait me rassurer, – et ce fut la curiosité qui l'emporta à la majorité d'une voix. Du reste, je crois bien qu'elle l'eût emporté quand même.

Le lendemain soir, sous un prétexte excellent – excellent, car j'avais mis quatorze heures à le chercher, je m'en allai furtivement à pied, – le comte Alexis demeurait dans la rue voisine – et j'arrivai sous la porte cochère de sa maison.

Cette porte cochère me parut bien extraordinaire. J'ai pu depuis me convaincre que rien ne distinguait celle-là des autres, mais figurez-vous que de ma vie je n'étais entrée sous une porte cochère ! Je ne les connaissais que comme un endroit d'où sort communément la voiture ou la calèche avec ses chevaux, pour venir vous prendre à la porte de la rue. Ce détail vous donnera une idée de la femme que j'étais alors : veuve et mère, mais plus ignorante de la vie qu'un enfant de trois ans.

J'aperçus la porte en question ; je montai trois marches... personne ne me voyait, – la cour était déserte, – par ordre sans doute, ai-je pensé depuis, – j'enfonçai la clef dans la serrure, non sans trembler un peu, et... j'entrai.

Une toute petite antichambre éclairée par une lanterne en verre de couleur, pleine de glaces dans des cadres sombres, m'offrait sa tiède hospitalité ; des fleurs partout, peu de lumière, pas un souffle... Je prêtai l'oreille... rien. Ce calme me rassura. Je laissai tomber ma pelisse et j'ouvris une porte.

Le comte Alexis n'avait pas menti : son cabinet était une merveille.

Le premier coup d'œil me donna l'impression d'une satisfaction entière, celle qu'on éprouve quand le sens du beau ne trouve rien à désirer. Le parfum doux et subtil qui se dégageait des tentures elles-mêmes charmait sans enivrer ; les lampes habilement disposées ne laissaient rien dans l'ombre, sans toutefois blesser l'œil ; les points brillants et les points obscurs se faisaient un contraste irréprochable au point de vue de l'esthétique ; et que de belles choses ! C'était décidément un grand magicien que le comte Alexis.

Quand j'eus touché à tous les coffrets, ouvert tous les tiroirs, essayé tous les bijoux, je regardai une porte drapée de superbes tapis, qui devait conduire aux appartements intérieurs... j'examinai la serrure – elle était fermée à clef extérieurement. J'y mis mon oreille sans honte ni vergogne, et j'entendis ces mots, prononcés par la voix d'un domestique, probablement :

– Descends donc, le comte va arriver avant dix minutes.

Quelqu'un passa sur la pointe du pied, et le silence se rétablit.

Je me retirai doucement jusqu'à un divan bas, placé à l'autre extrémité de la pièce, et je m'assis pour réfléchir.

– Puisque le comte va arriver, pourquoi ne t'en vas-tu pas ? me demandait la portion raisonnable de mon intelligence.

Pourquoi ? l'autre portion eut été bien embarrassée de répondre, – au moins de répondre quelque chose de convenable. Pourquoi, en effet, sinon parce que j'aimais le comte Alexis et que j'étais venue pour le voir, évidemment ? Mais c'est ce qu'il m'était impossible de m'avouer en ce moment-là.

Qu'était en effet ce palais sans son hôte ! Que m'importaient les coffrets et les cassolettes sans les yeux noirs et les dents blanches du comte Alexis ! C'était sa voix, c'était son regard qui me donnait les frissons délicieux auxquels je m'abandonnais sans vouloir en comprendre le péril. C'était cela que j'étais venue chercher, et non la satisfaction d'une curiosité vulgaire qui pouvait aussi bien se contenter dans un musée ou chez un marchand de raretés !

– Eh bien, oui, me dis-je enfin, après avoir un peu tergiversé, je resterai. Après tout, je suis jeune, libre, je ne fais tort qu'à moi-même, et s'il me plaît une fois de vivre pour moi, au lieu de vivre pour le monde, je suis maîtresse d'agir à ma guise !

Je me levai d'un air décidé et je fis deux ou trois fois le tour du cabinet en marchant vite. Le tapis venait de Perse, mais le mien était beaucoup plus beau et plus doux ; la bigarrure de ces dessins, qui m'avait d'abord paru piquante et originale, ne me semblait plus que fantasque et irrégulière ; je préférais décidément les fleurs d'Aubusson, – belles roses épanouies, lys corrects, pivoines orgueilleuses... Ce souvenir de l'Europe civilisée me ramena à des pensées moins poétiques.

Mon chez-moi me parut charmant en ce moment, mais le souvenir de ma belle-mère, la plus désagréable des princesses et des belles-mères, me rejeta dans la fantaisie... Chez moi, je voyais souvent la princesse.

– Qu'importe ? pensai-je, je veux vivre ! À cette heure, les femmes s'habillent pour aller au bal, entendre des platitudes et danser des quadrilles, – ici au moins...

Une petite pendule à répétition sonna huit heures et demie. Son timbre était exactement le même que celui d'une pendule de voyage que j'avais reçue en cadeau trois ans auparavant.

C'était lors de la naissance de mon fils : mon mari, ne sachant plus qu'inventer pour me faire plaisir, car il me gâtait horriblement, mon pauvre mari, – m'avait fait venir de Paris cette petite pendule, haute comme mon doigt, dans un écrin de velours. C'était un bijou rare, et depuis lors elle avait compté les heures auprès du berceau de mon fils. C'était à huit heures et demie que j'allais l'embrasser dans son lit pour la nuit ; il le savait si bien qu'il attendait le son du timbre pour appeler : Maman ! À ce cri, la bonne venait me chercher quand je n'étais pas là, et mon bébé recevait son baiser du soir, après quoi il s'endormait sur-le-champ, comme touché de la baguette d'une fée.

Je n'avais pas vu mon fils ce soir-là avant de partir. Quand j'allais au théâtre ou quand je dînais en ville, j'avais soin de l'embrasser avant de m'en aller, et de lui expliquer mon absence. À l'aide de cette précaution et d'un bonbon mis en réserve pour le moment de la sonnerie, mon petit garçon s'endormait d'ordinaire sans plus de difficultés.

Mais ce jour-là, je n'avais pas embrassé bébé ; que lui aurais-je dit ? J'avais annoncé à mes gens que j'allais aux vêpres du soir, à pied, à l'église voisine, – les gens, cela n'a pas d'importance, et d'ailleurs, si on leur rendait compte de toutes ses actions !... Mais à mon fils, c'était autre chose. Sans me l'expliquer, je sentais qu'il me serait pénible de mentir à cet enfant, de lui entendre répéter la phrase qu'il me disait d'ordinaire quand j'allais à l'église : – Salue le bon Dieu de ma part. – Cette phrase, qu'il avait singée de quelque discours de grande personne, faisait la joie de toute la *nursery*, et bébé la répétait, pour faire rire les autres.

J'éprouvai un remords à la pensée de mon fils qui m'appelait sans doute à ce moment : pas de bonbon mis en réserve, pas de caresse pour le repos de la nuit. Était-il possible que ce comte Alexis avec ses yeux noirs m'eût fait oublier mon petit garçon ?

Je constatai avec horreur qu'en effet depuis la veille je ne m'étais pas inquiétée de l'enfant. Bien mieux, après sa promenade, quand il était rentré, j'avais négligé de le faire venir auprès de moi... Est-ce que j'allais oublier d'être mère ? Et pourquoi ? Pour une paire d'yeux noirs et un peu de pathos !

Une voiture s'arrêta devant le perron, déposa quelqu'un et s'engouffra aussitôt avec un bruit terrible sous la porte cochère en faisant trembler tous les menus objets qui m'entouraient. C'était le comte qui rentrait.

– Mais il m'avait promis que je serais seule ! m'écriais-je mentalement ; c'est abominable, c'est un manque de parole ! Et que penserait-il de moi s'il me trouvait ici ?

J'entendis un pas s'approcher de la porte de l'appartement, les éperons sonnaient, la clef grinça dans la serrure... je me précipitai dans la petite antichambre, je sautai sur ma pelisse sans prendre le temps de mettre les manches, et je me glissai dans l'escalier, en ayant soin de fermer la porte à double tour derrière moi, au moyen de la précieuse clef d'or que j'emportai soigneusement.

Cinq minutes après j'étais chez moi, passablement essoufflée ; je courus d'abord au lit de bébé, qui, très grave, assis sur son séant, était en train de déclarer à sa bonne que, « d'abord, il ne dormirait pas avant d'avoir vu maman, et que ce n'était pas la peine de l'ennuyer comme cela ».

En m'apercevant, bébé me tendit les bras, et dit à la bonne effarée :

– Je t'avais bien dit qu'elle viendrait !

Là-dessus, après m'avoir embrassée, il se coucha sur son oreiller, ferma les yeux et les poings, – et s'endormit.

J'avais à peine eu le temps de changer de toilette quand j'entendis des chevaux s'arrêter sous ma fenêtre ; je m'assis bien confortablement à ma place ordinaire et j'ordonnai de servir le thé.

Le comte Alexis entra, les cheveux en coup de vent, l'air fatal, les yeux pleins de passion.

– Dieu soit béni, s'écria-t-il, je vous trouve vivante !

Sa voix, son ton, son air, tout cela me parut faux comme un jeton.

– Et pourquoi, cher comte, ne serais-je pas vivante ? lui dis-je de l'air le plus tranquille.

Mon assurance lui fit perdre un peu de la sienne.

– Mais, dit-il, j'avais pensé... vous êtes venue, n'est-ce pas, chère Marie, vous êtes venue... vous avez daigné... ?

Je le regardais attentivement, et grâce à je ne sais quel miracle, je ne voyais maintenant en lui qu'un comédien, – et pas très bon.

– Venue ? pourquoi ? où ?...

Il me regardait d'un air hébété. Je ne pus m'empêcher de sourire.

– Vous aviez oublié hier ce petit objet sur la table, lui dis-je en poussant sa clef vers lui ; ce doit être précieux ; reprenez-le donc.

Complètement désorienté, le comte Alexis prit la clef et la mit dans son gousset, sans mot dire. Le domestique qui entrait avec le thé sur un plateau lui présenta son verre.

– Non, merci, dit-il, je n'ai pas le temps, on m'attend chez moi.

Et il disparut.

Maintenant, en y pensant, je ne puis m'empêcher de rire, mais ce soir-là je pleurai amèrement, je pleurai de rage à l'idée que j'aurais pu me perdre pour cet imbécile.

Et tout cela pour des tapis d'Orient et un peu de galimatias !

Enfin, on dit qu'il y a un Dieu pour les enfants ; il faut croire qu'il y en a un aussi pour les étourdies... Du reste, c'est bien à peu près la même chose.

La juive de Roudnia

Nous traversions la Pologne en grande hâte ; – le soin d'affaires urgentes nous pressait ; puis ce pays presque plat, marécageux et malsain, qui s'étend entre Minsk et le golfe de Bothnie, n'offre aucune des séductions qui retiennent le voyageur. Les villages et les bourgs se succédaient le long de la route interminable, à peu près pareils, différant seulement par la quantité des maisons et des cabanes, par le nombre ou l'importance des églises. Nous l'avouons à notre grande honte, la vue des stations de poste nous causait seule une impression de joie où le point de vue pittoresque n'avait rien à réclamer.

Mais il suffit qu'on soit pressé, pour que mille accidents désa-gréables s'enchevêtrent les uns dans les autres ! À bien y réfléchir, de tels accidents arrivent toujours, même lorsqu'on prend son temps et ses aises ; mais alors on n'y fait pas attention.

Cette fois, cependant, une sorte de fatalité semblait nous poursuivre, car, un relais sur deux, il ne se trouvait pas de chevaux à la poste, et force nous était d'attendre, parfois une heure, parfois une demi-journée, – ce qui peut s'expliquer par le peu d'importance de la route de traverse que nous avions prise.

Par le plus grand des hasards, nous avions fait une assez bonne traite sans encombre :

– Il va nous arriver quelque catastrophe épouvantable, dis-je en riant à mon compagnon de voyage, sinon le Destin ne sera pas satisfait de sa journée.

J'achevais à peine ma phrase, que le postillon, se tournant à demi sur son siège, nous indiqua du bout de son fouet la bourgade dont nous approchions.

– Ça brûle ! dit-il flegmatiquement.

Une lueur rose se montrait, en effet, tout près, au bas du ciel, dont la nuit tombante assombrissait le bleu léger, ce bleu de pervenche particulier aux pays du Nord. La silhouette à peine dentelée du bourg se dessinait sur le foyer, d'où s'échappaient de gros tourbillons de fumée, et la coupole en fer-blanc de l'église russe réfléchissait les flammes comme un miroir mal étamé.

– Comment appelles-tu cette bourgade ? demandai-je au postillon, qui venait d'allonger un vigoureux coup de fouet à ses chevaux.

– Roudnia ! dit-il. C'est la ville de Roudnia.

Pour tout paysan russe ou polonais, trois maisons forment une ville, pourvu qu'elles se groupent autour d'une église. Or, Roudnia possédait deux églises, dont une catholique.

L'attelage, vigoureusement excité, gagna la grande poutre bariolée de blanc, de rouge et de noir, qui formait alors la barrière de toutes les villes ; un fonctionnaire en uniforme graisseux vint recevoir le péage obligatoire ; il cria quelque choses d'inintelligible, et la poutre placée en travers de la route se dressa obliquement vers le ciel. Cette sorte de barrage, tout à fait primitive, existe encore sur plusieurs chaussées du gouvernement, bien que l'État russe ait racheté les péages qui encombraient ses grandes routes. Notre postillon excita ses chevaux, qui ne demandaient pas mieux que d'arriver à l'écurie : nous parcourûmes au galop deux ou trois rues très sales et abominablement pavées.

Une foule grouillante se précipitait dans la même direction, vers le foyer de l'incendie, et nous faillîmes écraser une demi-douzaine de juifs qui couraient en relevant leurs grandes robes et en poussant des exclamations de détresse.

– C'est la maison d'un juif qui brûle, nous dit le postillon sans cesser d'exciter ses chevaux.

– À quoi le reconnais-tu ? demanda mon compagnon.

– Ça pue la graisse ! répondit le drôle en riant à gorge déployée.

La calèche tourna brusquement un coin, au grand risque de verser, et s'arrêta devant la station de poste.

– C'était, en effet, la maison de bois d'un boucher juif qui brûlait en face de nous sur la place ; les coreligionnaires du pauvre diable déménageaient son mobilier par les fenêtres de devant : le feu avait pris à l'arrière de la maison. La façade était encore toute noire, mais de ce noir profond qui précède la combustion. Quelques panaches de fumée bleuâtre filtraient çà et là du toit, présageant la conflagration générale qui ne pouvait se faire attendre.

Pendant que mon compagnon s'occupait de nous faire donner

d'autres chevaux et faisait viser notre permis de route, je restai sur le perron de la station ; élevé de quelques pieds au-dessus du niveau de la place, il dominait l'ensemble de la scène.

Un incendie n'est pas chose rare en Pologne ; mais quand c'est la maison d'un juif qui brûle, les juifs seuls accourent et se démènent, tandis que les catholiques, immobiles, regardent, – non peut-être sans une satisfaction secrète, – périr le bien « mal acquis » des fils d'Abraham.

Cette inhumanité s'explique, si elle ne s'excuse pas, par la rapacité des Israélites, qui, grâce à leur habileté commerciale, retiennent entre leurs mains le plus net du revenu de ces malheureux généralement très pauvres et encore appauvris par le système de l'usure largement pratiqué dans ce pays.

La femme et les enfants du boucher, assis au centre de la place, déchiraient l'air de leurs plaintes aiguës ; quelques chiens aboyaient ; nos chevaux dételés secouaient leurs colliers de grelots, pendant qu'on attachait une série de clochettes aux harnais de ceux qui allaient les remplacer ; – le tout formait un tintamarre inexprimable, principalement dans les notes aiguës. – Je me bouchai les oreilles.

Tout à coup je vis les juifs qui enlevaient le mobilier détaler avec précipitation, tant par les fenêtres que par la porte ; un flot de fumée blanche remplit la pièce qu'ils venaient de quitter, et une lueur rouge filtra tout au fond : la cloison intérieure venait de s'enflammer. Un silence relatif se fit tout à coup.

Ce moment a toujours quelque chose de solennel.

– Que ça brûle donc bien ! dit tranquillement à mes côtés un grand soldat cosaque, revêtu de sa capote grise.

Je le regardai... il fumait tranquillement une petite pipe courte en merisier ; les mains ballantes, il considérait l'incendie avec une satisfaction non déguisée ; mais le papillotement de ses yeux prouvait qu'il avait bu quelques verres d'eau-de-vie de trop.

– Malheur ! malheur !... cria la voix du boucher. Il était au milieu de la place et regardait d'un air consterné sa famille gémissante. Il s'arrachait les cheveux, et ses petites boucles frisées frétillaient au vent dans l'impétuosité de ses mouvements.

– Malheur !... répétèrent tous les juifs en chœur.

– J'ai oublié ma vieille mère ! s'écria l'infortuné.

Un éclat de rire lui répondit du côté des Polonais.

– Je la croyais avec vous, dit-il à sa femme qui s'était dressée tout effarée, son dernier-né dans les bras.

– Où est-elle ? lui cria-t-on.

D'un geste désespéré, il indiqua la maison, et se couvrit la tête d'un pan de sa robe.

On cessa de rire. Toute juive qu'elle fût, c'était une femme.

– Elle est dans la chambre de gauche, dit-il ; le feu n'y est pas encore... Sauvez-la, mes amis, ajouta-t-il d'une voix pleine d'angoisse.

Les amis qui l'avaient aidé jusque-là regardèrent les flammes, puis s'interrogèrent du geste et restèrent silencieux.

– Vas-y toi-même ! cria un gamin dans la foule.

– Je donnerai la moitié de mon bien à celui qui la sauvera ! s'écria le boucher en se tordant les mains... La moitié, oui, la moitié, répéta-t-il avec ardeur... sauvez la pauvre vieille, mes amis, mes bons seigneurs !

Il s'adressait maintenant aux Polonais. Personne ne bougeait. Le grand Cosaque, mon voisin, fit un mouvement, puis hésita, et enfin vint se planter devant le boucher, non sans tituber un peu.

– Pas de bêtises ! dit-il, sa pipe toujours à la bouche. Qu'est-ce que tu donnes pour entrer là-dedans ?

Il indiquait la maison, désormais envahie presque en entier par le feu.

– Cinq roubles argent, mon ami, cinq roubles ! Par le Dieu vivant, cinq roubles !

– Ce n'est guère, dit le Cosaque. Enfin ! nous n'avons pas le temps de marchander. Vous entendez, vous autres, cria-t-il d'une voix forte, il a dit cinq roubles !

Un murmure d'assentiment parcourut la foule.

– Mais il faut que tu la rapportes, dit le juif s'accrochant à la manche du soldat ; – sinon rien de fait !

– Imbécile, grogna le Cosaque, ce n'est pas pour mon plaisir que je vais me promener là-dedans ! Où est-elle, ta vieille bique de mère ?

– Sur le lit, dans la chambre à gauche, dans le coin.

– Bon ! grommela le Russe. Avec l'aide de Dieu ! cria-t-il d'une voix retentissante.

Et il sauta d'un bond sur le perron.

Toute la population de Roudnia retint son haleine... Il fit le signe de la croix et disparut dans la fumée.

– Vos chevaux sont prêts, me dit le postillon en grimpant sur le siège.

– Attends... répondis-je à voix basse.

Mon ami m'avait rejoint et regardait comme nous tous le dénouement de ce drame.

Le Cosaque reparut tout flambant, portant dans ses bras la vieille juive à demi évanouie. Il n'avait pas lâché sa pipe.

Une acclamation de triomphe le salua.

– La voilà, ta vieille, dit-il au juif.

En ce moment, la maison prit feu tout entière avec une sorte de détonation ; mais elle n'intéressait plus personne : tous les yeux se fixèrent sur le Cosaque.

– Allons, dit-il, paie-moi !

– Comment, balbutia le juif, déjà ? Attends que j'aie mis ma famille en sûreté !...

– Pas de bêtises ! gronda le Cosaque menaçant (c'était son mot, paraît-il), paie-moi tout de suite... sans cela...

Par une habitude de crainte, le boucher mit son bras devant sa figure ; mais le Cosaque ne pensait pas à le frapper ; il fixait sur lui des yeux où grandissait la colère. Aveuglé par son avarice, le juif n'y prit pas garde : il tira avec peine un portefeuille graisseux de sa poitrine, l'ouvrit en geignant, fouilla dedans à plusieurs reprises, et y prit enfin un papier chiffonné qu'il présenta au Cosaque. Le toit s'écroulait avec une gerbe d'étincelles qui rejaillirent jusqu'à nous. Il faisait clair sur la place comme en plein midi.

– Un rouble ! s'écria le Cosaque, – il jeta sa pipe au loin, – un

rouble pour avoir risqué ma vie ! un rouble ! Ah ! chien maudit !
j'aime mieux y retourner pour rien !

Il saisit la malheureuse vieille dans ses bras, et avant que
personne eut pu deviner sa pensée, il s'élança vers la maison. Le
perron ne brûlait pas encore ; il bondit dessus avec son fardeau et le
précipita dans les flammes... Puis se retournant vers la foule :

– Un rouble !... voleur, porc ! va chercher ta mère pour rien, à
présent !

La foule, horrifiée, restait muette... Je sautai dans la calèche et
mon ami après moi.

– Touche ! Au galop, dis-je au postillon.

Je me sentais incapable d'en subir davantage.

Au moment où la calèche s'ébranlait, une partie de la façade
s'écroula en avant, séparant le soldat de la place. Sa haute stature se
dessinait en noir sur le fond incandescent. Il voulut franchir le
brasier ; mais au moment où il se préparait à sauter, une poutre le
frappa à la tête, et il tomba...

– Vite ! vite ! dis-je au postillon en le bourrant de coups dans le
dos pour l'exciter.

Il mit ses chevaux au galop ; la foule s'écarta machinalement, et
nous roulâmes bientôt en rase campagne...

Nous fûmes huit jours sans pouvoir dormir.

La valse mélancolique

– Je vous assure, disait Stanislas en allumant un cigare, qu'on peut très bien se trouver aimé tout d'un coup, un beau jour, sans l'avoir voulu, sans avoir rien fait pour exciter autre chose qu'une bonne affection bien prosaïque, comme la nôtre.

– Tout le monde n'est pas aussi prosaïque que nous, mon cher ami ; et puis tout le monde n'est pas marié à une femme charmante, et je vous assure que lorsqu'un homme se trouve aimé d'une femme, il y a bien quelque peu de sa faute : une nuance involontaire dans la voix, un mot de simple galanterie, peut-être, qu'on aura laissé tomber dans une circonstance qui lui prêtait une importance particulière, peu de chose, c'est possible, mais enfin, quelque chose.

– Si je ne craignais de vous sembler fat, reprit Stanislas, je conterais une petite histoire qui m'est arrivée personnellement et qui vient à l'appui de ma théorie.

– Dites, dites toujours ; je vous ferai part ensuite de mon opinion sur votre compte.

Stanislas sourit, s'installa commodément dans un fauteuil et commença son récit.

– J'avais vingt ans, j'étais fiancé depuis un an à ma chère Stéphanie, et ma mère avait exigé que cette année d'attente fût employée par moi à parcourir l'Europe. Peut-être se méfiait-elle de la solidité de mes affections, peut-être avait-elle voulu simplement se débarrasser des instances dont je l'accablais, pour abréger mon attente ; le fait est qu'elle était restée impitoyable, et qu'il m'avait fallu, bon gré, mal gré, faire le tour de l'Europe.

Cette année passa tant bien que mal, et au commencement du douzième mois j'étais à Vienne. Je ne savais décidément plus que faire pour tuer le temps pendant les quatre semaines qu'il me restait encore à dépenser, lorsqu'un matin on m'annonça la visite du comte Max de Hilderstein, et mon cher cousin se précipita dans mes bras avec son impétuosité ordinaire.

– Bonjour, Stanislas ! s'écria-t-il ; comment donc te trouves-tu ici ?

– Comme un homme qui a hâte d'en être parti, lui répondis-je, et toi-même ?

– Moi, je viens d'arriver à Vienne pour y passer six mois avec mon régiment. C'est un vilain métier que d'être en garnison lorsqu'on voudrait brûler le pavé des routes.

– D'où te vient cet amour effréné de locomotion ? lui demandai-je en riant, car, d'ordinaire, mon cher cousin n'aimait guère à se déranger.

Il m'apprit alors, avec un déluge d'expressions passionnées dont je vous fais grâce, qu'il était fiancé à Milina Sélikovska. C'était la fille d'une cousine de sa mère ; je ne l'avais jamais vue, mais nos familles avaient toujours été dans de bonnes relations.

Quand j'eus écouté le récit du bonheur et des amours de Max, il s'avisa de m'interroger à son tour, et en apprenant que je ne savais où perdre mon temps, il s'écria :

– Est-il heureux, ce Stanislas, d'avoir du temps de trop ! Libre d'aller partout, excepté à un seul endroit, et de l'or plein ses poches, il se trouve malheureux ! Et moi, condamné à parader au Prater, avec des poches vides ! Dieu sait jusqu'à quel point il faut que je me trouve satisfait ! Ah ! Stanislas, une idée ! Puisque tu ne sais que faire, va voir ma promise, de ma part, hein ?

– Quelle folie ! je ne la connais pas.

– Tu connais sa vieille tante qui t'adore et qui me rebat les oreilles de tes mérites : – « Ce n'est pas Stanislas qui aurait des duels ; ce n'est pas Stanislas qui ferait des dettes ! » – Est-ce que tu n'a pas de dettes, toi ? Qu'est-ce que je te disais donc ? Ah ! oui, va les voir ; dis à Milina que je l'aime comme un fou, que le pavé de Vienne me brûle les pieds, mais que le colonel est inexorable.

Je résistai quelque temps, mais Max est tenace quand il a une idée. C'est peut-être parce qu'il n'en a pas très souvent, – il fallut céder. Mon cousin se chargea de tout, me traça mon itinéraire, commanda les chevaux, fit atteler ma calèche et vint me voir partir.

Quand je fus assis dans la voiture, il s'appuya près de la portière ; sa physionomie s'assombrit soudain.

– Stanislas, me dit-il très gravement, je fais peut-être une imprudence, tu es plus jeune et plus aimable que moi, tu as aussi plus d'esprit ; c'est mon bonheur que je te confie, ne l'oublie pas.

Sans attendre ma réponse, il m'embrassa et donna au cocher l'ordre de partir, si vite, que je n'eus pas le temps de prononcer un mot.

Ces paroles me trottèrent quelque temps par la tête ; puis, le jour baissant, je m'endormis du plus doux sommeil. Je vous fais grâce du récit de mon voyage, il vous suffira d'apprendre que dès le deuxième jour j'arrivai à une grille qui fermait une avenue de chênes séculaires ; nous entrâmes dans cette allée, puis le postillon tourna brusquement, et je me trouvai devant le perron d'un vieux manoir en briques rouges, noircies par le temps.

Ce château est assis sur l'extrême bord d'un rocher immense et surplombe une vallée de trois cents pieds de profondeur. Les fenêtres donnent d'un côté sur la fraîche vallée ; de l'autre sur un joli parterre plein de fleurs de toute espèce. Le parterre se relie à un parc magnifique où la main de l'homme n'a guère eu que des sentiers à tracer et des ponts à jeter pour en faire un des plus beaux lieux de plaisance du monde.

J'avais envoyé un courrier pour annoncer mon arrivée ; la vieille cousine de ma mère m'attendait dans la grande salle, et me souhaita la bienvenue avec cette antique hospitalité et ces grandes manières qui se perdent tous les jours. Elle me guida ensuite vers un joli salon, meublé dans le goût moderne, où j'entrevis, aux dernières lueurs du couchant, un jeune visage encadré dans de grosses boucles de cheveux châtains ; et une voix musicale me souhaita doucement la bienvenue. On apporta bientôt des lumières, et je vis Milina bien différente de ce que j'avais imaginé. Je ne sais pourquoi je me l'étais représentée grande, svelte et rêveuse, – peut-être par contraste avec mon prosaïque cousin ; – je vis une toute jeune fille, – quinze ans à peine, – petite, potelée comme un enfant, mais mignonne et bien faite ; un visage rond avec un sourire à fossettes, des dents irréprochables, des joues roses, et par-dessus tout cela des yeux bruns immenses qui souriaient presque toujours, même quand la bouche était sérieuse.

En voyant la jeune fiancée si enfant encore, je me sentis tout de suite à mon aise avec elle, et je lui transmis immédiatement le message de mon cousin. Elle le reçut sans embarras, et répondit en riant :

« Ce bon Max, comme cela lui ressemble ! Je l'aime bien aussi ; il a bien fait de vous envoyer. »

Le lendemain matin, je fus réveillé par le gazouillement des oiseaux dont le parc était rempli. C'était vers la mi-septembre ; les grives s'ébattaient joyeusement dans les vignes, les abeilles bourdonnaient dans les parterres ; il y avait partout surabondance de vie ; je sortis du château et je me dirigeai vers le parc. Au détour d'un massif de sorbiers je me trouvai nez à nez avec Milina, qui portait dans un coin de sa robe blanche relevée sur son bras toute une gerbe de fleurs : elle en avait dans les mains encore une brassée, au travers de laquelle je voyais rire ses grands yeux bruns dans l'ombre projetée par son chapeau de paille.

– Ah ! c'est vous, cousin Stanislas ? Vous venez à propos ; prenez cela, dit-elle en se débarrassant de son gros bouquet ; il y a là-bas des reines-marguerites, il faut que j'en cueille aussi.

Elle me planta là, très sot de ma personne, avec sa gerbe de fleurs dans les mains. Je pris le parti de m'asseoir sur un banc et de l'attendre ; un instant après je la vis revenir chargée de fleurs de toutes nuances.

– C'est du foin que vous avez coupé, cousine, lui dis-je très gravement, et nous allons le porter aux chevaux ?

– Oh ! cousin ! fit-elle avec indignation ; puis elle éclata de rire, rire argentin et frais qui me fit l'effet d'une délicieuse musique. Vous vous moquez de moi, parce que j'aime tant les fleurs, que j'en veux voir des gerbes partout ; mais pour vous punir de votre moquerie, vous allez faire des bouquets avec moi jusqu'au déjeuner.

Elle entra dans un petit pavillon dont elle avait la clef ; elle prit des ciseaux, du fil, et se mit à l'ouvrage. Ses petits doigts habiles entrelaçaient avec goût les fleurs, et je prenais plaisir à la voir agir. Quand le bouquet fut fini, elle le posa gravement devant moi, et me dit :

– À votre tour, cousin, faites-en un pareil.

Au nombre de mes petits talents, je possède celui de disposer assez joliment les fleurs ; après quelques essais maladroits, faits à dessein pour amuser Milina, je lui présentai un tout petit bouquet, gros comme le poing, mais composé de fleurs choisies et tout à fait joli. Elle le prit sans rien dire, le regarda, le sentit, et puis me dit très sérieusement :

– Cousin, vous vous êtes encore moqué de moi.

Cette fois, je sollicitai sincèrement mon pardon, qu'elle ne tarda pas à m'accorder, en riant de la surprise qu'elle avait éprouvée. Après avoir encore une fois regardé mon bouquet, elle me dit subitement :

– Vous aimez la musique ?

– Oui, répondis-je, beaucoup ; pourquoi ?

– Je ne sais pas ; j'ai pensé que vous deviez l'aimer, parce que vous aviez si bien arrangé ces fleurs.

La réflexion était très naïvement exprimée, mais elle ne manquait pas de profondeur : elle me plut, et lorsque la cloche nous appela autour de la table du déjeuner, dont Milina fit gracieusement les honneurs, nous étions très bons amis.

Le soir venu, lorsqu'il fit trop sombre pour travailler près de la fenêtre, Milina alla s'asseoir au piano, qui était un magnifique instrument d'Érard ; elle joua quelques mélodies nationales avec beaucoup d'entrain et d'expression, suivant le genre de la musique, puis une valse de Chopin. En se levant, elle m'interpella.

– Cousin, dit-elle, jouez-vous du piano ?

– Oui, répondis-je d'assez mauvaise grâce, peu disposé que j'étais à m'exécuter.

– Jouez-moi quelque chose.

L'ordre était péremptoire ; elle avait joué la valse favorite de Stéphanie, j'en jouai une du même maître. Vous la connaissez sans doute ? c'est cette petite valse en la mineur qui se joue lentement et qui exprime si bien la lassitude et les rébellions d'un cœur attristé !

Quand j'eus fini, Milina me pria de recommencer. J'obéis ; l'enfant resta silencieuse pendant quelques instants, puis elle me dit :

– Vous jouez bien ; beaucoup mieux que moi. Comme c'est beau, cette valse !

On apporta les lumières, et Milina redevint gaie. Fidèle à ma promesse, je lui parlais souvent de son fiancé, pendant les jours qui suivirent. Elle m'écoutait volontiers, sans embarras comme sans empressement. Cependant, en me racontant un jour un trait de courage de Max, elle s'anima, et ses yeux brillèrent ; mais c'était la fierté légitime de la fiancée, et non pas l'orgueilleuse tendresse de l'amante.

Elle me parlait souvent aussi de Stéphanie, et sur ce point nos conversations étaient interminables ; elle brûlait d'envie de connaître ma promise, et nous faisions les plus doux plans pour nous rencontrer après nos deux mariages.

Le mariage était pour elle la vie active, le voyage loin des murs solitaires du vieux manoir ; le regret aussi de quitter la tante Frédérique qui nous écoutait en souriant et qui s'endormait parfois dans son grand fauteuil le soir. Nos voix baissaient alors insensiblement pour respecter le sommeil de notre bonne vieille tante, et peut-être la conversation devenait-elle d'un degré plus intime ; mais c'était une nuance à laquelle je n'ai songé que plus tard et après réflexion.

Le temps s'écoulait cependant. Il ne me restait plus qu'une semaine à passer au château. Milina et moi, nous avions parcouru à cheval tous les environs, car elle montait intrépidement, mais sans crânerie ; et Max, m'avait-elle dit, prisait particulièrement ce genre de talent. Un beau matin, nous revenions d'une des gorges les plus reculées de la montagne, et nos chevaux fatigués marchaient au pas, côte à côte.

– Cousin, me dit Milina toute pensive, comment avez-vous su que vous aimiez Stéphanie ?

La question était embarrassante ; d'après la manière dont elle était posée, il était clair que Milina cherchait à s'expliquer ses impressions personnelles, bien plus qu'à approfondir les causes de ma tendresse pour ma fiancée. J'hésitai un moment, puis je lui racontai tout simplement ce qui s'était passé depuis le jour où j'avais trouvé Stéphanie en pleurs sous le grand oranger de la terrasse, essayant de lire à travers ses larmes le dernier chant de *Jocelyn*. Ma petite cousine m'écoutait avec attention.

– Et Stéphanie, reprit-elle, vous aime comme j'aime Max ?

C'était plus embarrassant encore ; comment comparer l'amour de ma fiancée avec l'amitié d'enfant qui attachait Milina à son futur ! D'un autre côté, je craignais d'éveiller dans l'esprit de la jeune fille l'idée de cette immense différence morale entre elle et Stéphanie. Je pris le parti de répondre évasivement.

– Ma chère cousine, lui dis-je, c'est ce que vous pourriez savoir seulement, si vous aviez éprouvé autant de traverses dans votre affection que ma fiancée et moi. Que Dieu vous préserve de cette science ! ajoutai-je en lui tendant la main. Elle la serra énergiquement, puis fouetta d'un double coup de cravache son cheval et le mien, et deux minutes après, nous luttions de vitesse en riant, sur la route unie qui menait au manoir.

Le soir de ce jour-là, la lune se leva vers huit heures. Nous étions tous deux à la regarder dans l'embrasure de la grande fenêtre dont la partie supérieure était ornée d'un treillage naturel, formé par une vigne et un rosier blanc qui grimpaient le long du mur extérieur ; le parterre nous envoyait ces émanations pénétrantes particulières aux plantes d'automne ; la tante Frédérique sommeillait depuis une heure dans son grand fauteuil ; Milina pensive depuis quelques instants me dit soudain à mi-voix :

– Cousin, jouez-moi cette valse que j'aime.

J'ouvris le piano, et lentement, avec toute mon âme, car j'étais tout entier au souvenir de ma bien-aimée absente, je jouai la valse *mélancolique*.

Quand j'eus fini, je retournai vers la fenêtre. Milina était debout, éclairée tout entière par les rayons de la lune ; ses grosses boucles brunes encadraient son visage d'enfant, transfiguré en ce moment par je ne sais quel rayonnement attendri. Elle était bien jolie ainsi, et je la regardais sans oser lui parler, car je sentais instinctivement quelque chose d'étrange se passer en elle. Ce fut sa voix qui rompit le silence ; elle posa sa main sur mon bras et doucement, à mi-voix :

– Cousin Stanislas, dit-elle, je vous aime.

Elle le dit simplement, sans honte, comme un oiseau aurait chanté ; c'était l'expression ingénue d'un sentiment naturel ; pourquoi l'eût-elle caché ? Elle était trop naïve et trop pure pour en faire mystère ou même pour en rougir. Moi, je fus atterré. J'étais si loin de m'attendre à cela ; et d'ailleurs trouvez-moi une position plus stupide que celle d'un homme honnête qui reçoit un pareil aveu dans de semblables circonstances ! Le premier mot qui vint à mes lèvres fut :

– Et Max ?

La pauvre enfant fut frappée au cœur par ce seul nom. J'avais été cruel sans m'en douter ; avec un peu de prudence, j'eusse pu opérer le même résultat et lui épargner un choc si rude. Mais que voulez-vous ! J'avais vingt ans, et peu, bien peu d'expérience.

Milina retira sa main, lentement ; deux grosses larmes roulèrent sur ses joues qui avaient pâli ; elle était plus belle que jamais... un instant je me sentis faiblir. La pitié, l'affection véritable qu'elle m'avait inspirée m'émurent, et je fus sur le point de dire quelque sottise. Heureusement, les dernières paroles de Max me revinrent en mémoire, et mon moi honnête reprit le dessus. Pendant cette lutte d'un instant, Milina m'avait bien regardé, comme pour graver mes traits dans sa mémoire ; quand je relevai les yeux, elle sortit de la salle sans prononcer un mot.

La tante se réveilla ; il était temps, – et je la quittai sous prétexte de fatigue. Comme vous pouvez le penser, je dormis peu cette nuit-là. Je n'avais qu'une idée bien nette, celle qu'il fallait partir, partir à tout prix, quoi qu'en pût penser la tante Frédérique, pour épargner à Milina l'embarras de me revoir. Le jour vint sans que j'eusse trouvé moyen de sortir d'embarras. Enfin, très à propos, je me souvins que Stéphanie m'avait prié de lui rapporter de Vienne certains bijoux dont j'avais oublié de faire emplette. Le prétexte était à peu près plausible, je le saisis.

Quand j'entrai dans la salle à manger, la tante Frédérique m'y attendait seule ; je n'en fus pas étonné, et je lui expliquai bien vite la prétendue nécessité qui me forçait à abréger mon séjour au château.

– Comme Milina va être triste ! dit la bonne vieille ; elle s'était si bien accoutumée à vous ! Moi, mon cher enfant, je ne vous reverrai pas. Quand ma nièce sera mariée, je n'aurai plus rien à faire en ce monde. Que Dieu vous bénisse, vous et votre femme !

Elle appela la jeune fille pour me dire adieu ; celle-ci ne tarda pas à venir. Toute rouge, les yeux baissés, elle me tendit sa petite main que je baisai fraternellement, et je partis bien vite, car je me sentais très mal à mon aise.

En tournant l'allée, je me penchai hors de la calèche pour regarder encore une fois le manoir, et je vis la jolie tête de Milina à une fenêtre du premier étage ; le soleil dorait ses boucles, que le vent du matin avait un peu dérangées : la tante Frédérique était auprès d'elle. Elles m'envoyèrent toutes deux un signe de la main pour dernier adieu, et les chênes les cachèrent à mes yeux.

Quinze jours après, Stéphanie et moi nous commencions cette longue lune de miel qui dure depuis huit ans, et qui n'est pas près de finir, je l'espère.

– Et vous n'avez jamais revu Milina ? demandai-je avec intérêt.

Stanislas sourit. – Comme vous êtes curieuse ! dit-il ; oui, je l'ai revue, trois ans après, et voici comment. Ma femme et moi nous étions à Bade, un soir d'été, nous promenant dans les jardins, lorsqu'une voix bien connue m'interpella soudain ; je me retournai : c'était Max avec une très jolie femme à son bras. D'abord, je ne reconnus pas Milina ; elle avait grandi, elle était plus élancée, enfin c'était une femme, au lieu de l'enfant que j'avais quittée trois ans auparavant ; elle me salua avec une légère teinte d'embarras qui passa bientôt.

Pendant que nos deux jeunes femmes faisaient connaissance, Max m'avait pris par le bras.

– Imagine-toi, me dit-il, que tante Frédérique et ce diablotin de Milina m'ont fait patienter deux ans de trop.

– Comment, de trop ? demandai-je assez étonné.

– Eh ! oui ! Il n'y a qu'un an que nous sommes mariés ; de retard en retard, Milina a fini par me faire avaler cette grosse pilule. Au fait, à présent, j'en suis plutôt content ; elle était bien jeune alors pour rester souvent seule, et mon service m'oblige fréquemment à la quitter ; et puis, la tante Frédérique est morte il y a dix-huit mois, et j'ai été bien aise de lui avoir laissé sa petite chérie jusqu'à son dernier moment.

– Et tu es heureux ? demandai-je.

– Autant qu'on peut l'être.

Notre promenade nous avait amenés vers les dames, qui causaient assises sur un banc ; un groupe de musiciens, dont un massif d'arbrisseaux nous dérobait la vue, commença à jouer la *Valse mélancolique*, qu'on venait récemment d'arranger pour orchestre. Involontairement je regardai Milina ; nos yeux se rencontrèrent ; les siens étaient humides ; avec un sourire et une vive rougeur elle prit le bras de son mari, et nous continuâmes notre promenade.

Le lendemain matin, en rentrant chez mon cousin, je trouvai madame de Hilderstein au piano ; elle jouait précisément la valse en question. En m'apercevant, elle se leva brusquement, rougit et resta immobile.

J'étais passablement interdit, plus qu'elle ; car une femme a toujours l'avantage sur nous en de semblables circonstances.

– Vous ne l'avez pas oubliée ? dis-je en m'approchant du piano et en feuilletant le cahier de musique.

C'était une sottise, hélas ! et des plus gauches.

Je crois que ma cousine eut pitié de ma bêtise, car elle me dit, en me tendant la main, avec le plus charmant sourire :

– Non, cousin ; j'ai toujours beaucoup aimé Chopin. Puis elle ajouta tranquillement, en regardant ailleurs : « et les honnêtes gens aussi. »

Max entra, et depuis il ne fut jamais question ni de la valse ni de mon séjour au château ; chaque fois que mon cousin en parlait, sa femme s'arrangeait de manière à détourner la conversation, et elle y réussissait, car je n'ai jamais vu un homme plus ensorcelé que mon cher cousin.

– Hormis vous, dis-je en riant, car l'adoration de Stanislas pour sa femme était passée en proverbe parmi nous.

– Permettez, s'écria-t-il ; j'aime Stéphanie, et je la respecte, mais elle ne me mène pas ! Max n'a plus de volonté, et sa femme en fait tout ce qu'elle veut.

– En fait-elle quelque chose de laid ou de mauvais ? demandai-je.

– Non certes ; elle se comporte très bien avec son mari et l'a même souvent empêché de faire des sottises.

– Eh bien, tout est pour le mieux dans le meilleur des mondes, dis-je en me levant ; mais cela ne prouve pas que vous n'ayez rien fait pour provoquer l'affection de Milina. Je vous l'ai dit, mon ami, une nuance de la voix, une galanterie banale pour vous qui n'y songiez point, précieuse pour elle, un regard d'admiration qu'elle aura surpris au passage, c'était assez pour faire naître dans ce jeune cœur une tendresse que vous ne vouliez pas lui rendre.

Stanislas allait répondre, et la discussion n'était pas près de finir...

– Venez prendre le thé ! crièrent les enfants en faisant irruption dans le salon.

Les 25 roubles de Nikita

Nikita Vlassief était né sous le règne de l'impératrice Catherine, mais ses souvenirs ne remontaient pas au-delà de 1812.

Le paysan russe, en général, n'a pas la mémoire très développée, à moins qu'il ne quitte les champs pour faire du commerce. Quels souvenirs, en effet, peuvent peupler l'esprit de celui qui revoit toujours le printemps remplacer l'hiver, puis d'autres hivers suivis d'autres printemps se succéder paisiblement, et toujours sans rien changer à l'état de choses ?

Deux dates seulement ont laissé une estampille indélébile sur les contemporains. La plus récente est celle du 19 février 1861 : l'émancipation a créé un cœur nouveau sous le *touloupe* en peau de mouton de la vieille Russie. L'autre fut l'invasion française : si monotone que la vie ait pu redevenir pour le serf attaché à la glèbe, aucun de ceux qui ont vu ce temps-là n'en a perdu la mémoire.

Nikita était serf d'un domaine important du gouvernement de Smolensk. Sa vie s'était écoulée aussi monotone, aussi insignifiante que celle de tous les paysans ; il s'était marié, avait eu une demi-douzaine d'enfants, les avait presque tous perdus, et peu à peu sa grande taille s'était voûtée par l'habitude du travail ; il accomplissait régulièrement les corvées seigneuriales, payait exactement sa redevance, et s'enivrait ni plus ni moins qu'un autre à l'occasion, lorsque le bruit se répandit dans la province que les « musulmans » attaquaient la Sainte Russie.

Les musulmans, c'était l'étranger. Quel qu'il soit, pour le vrai paysan russe, jusqu'à ces dernières années, et peut-être encore aujourd'hui dans les provinces éloignées, l'étranger est païen ou musulman ; – souvenir des longues guerres avec la Turquie.

Les journaux ne pénétraient guère dans les domaines seigneuriaux et pas du tout dans les cabanes. Et pourquoi un journal, grand Dieu ! puisque, hormis le seigneur et les gens d'église, personne ne savait lire !

Mais ce n'est pas dans les livres que l'on puise l'amour du terroir, le sentiment de la patrie. À l'annonce de l'invasion, tout ce qui pouvait porter une arme, faux, épieu ou cognée, se munit de son instrument de carnage et attendit les païens de pied ferme.

La route des conquérants ne passait pas par le village de Nikita : tout grommelants de colère, les paysans rentrèrent dans leurs cabanes pour attendre.

Hélas ! ils n'attendirent pas longtemps. Avec les premières neiges, les troupes étrangères reprirent le chemin de la lointaine patrie, et cette fois l'itinéraire n'était pas tracé par la main sûre du vainqueur.

Pendant que le gros de l'armée suivait la grande route avec un semblant d'ordre, même au milieu de cette détresse, plus d'une colonne s'égara, croyant prendre la traverse ; et pas un de ceux qui avaient voulu abréger le chemin ne rejoignit son régiment.

Les paysans avaient attendu, cachés dans les bois, dans les ravins, innombrables, à l'affût derrière les broussailles, pour défendre la patrie de leur mieux ; – ils n'avaient plus besoin de la défendre, mais ils eurent encore plaisir à la venger.

Quarante ans après, Nikita, qui ne se rappelait bien nettement ni son mariage ni la naissance de ses fils, n'avait rien oublié de ce temps-là.

– J'en ai descendu ! disait-il à mi-voix, et ses yeux gris, presque aveugles, étincelaient d'une lueur vitreuse. Les païens ! ils voulaient prendre notre pays ! Mais nous les avons joliment chassés ! D'abord avec les haches et les faux, puis avec les fusils de ceux qui étaient morts. Je n'avais jamais vu de fusil, moi, mais j'ai vite appris à m'en servir ! Et quand ils ont été partis, – ceux qui pouvaient encore courir, – nous avons enterré les autres, – ceux qui étaient restés... il y en avait des fusils, il y en avait ! et des sabres, et des gibernes, et de tout ! Nous en avons chargé des charrettes pleines : on les a vendus à la ville, et nous avons partagé. J'ai eu de l'argent ! oui, j'en ai eu ! Je n'avais pas pensé qu'il y eût tant d'argent sur la terre !

On prétend que le bien mal acquis ne profite pas. Nikita fit pourtant une sorte de fortune. Après tout, le prix des armes des envahisseurs, peut-être le prix du sang, était-il de l'argent mal acquis ? La Providence seule peut trancher ces questions-là.

La fortune de Nikita ne fut pas une fortune colossale. Il acheta deux vaches, vendit un peu de beurre, puis introduisit dans son village reculé l'usage des épingles, des petits miroirs de cinq kopecks et autres menues bimbeloteries. À force d'aller du village à la ville et de la ville au village, il acquit beaucoup de rhumatismes, une légère attaque de paralysie et une somme ronde de vingt-cinq roubles argent, autrement dit cent francs.

Une banqueroute avait passé sur la Russie pendant ce temps-là, écornant un peu tous les capitaux ; mais elle n'avait pas même effleuré Nikita, attendu que la fortune de notre héros n'était pas en papier.

Quand il se vit possesseur de vingt-cinq roubles en menue monnaie d'argent et même de cuivre, cachés dans un trou de muraille inconnu aux mortels, il réfléchit longtemps et se demanda ce qu'il devait en faire.

En Russie, la famille vit en commun dans une grande cabane composée d'une seule chambre habitable, que sépare quelquefois en deux une mince cloison. Là, les générations se succèdent : grands-pères, grands-mères, tantes, pères, sœurs, enfants et petits-enfants dorment sur le large poêle de briques pendant l'hiver, sur les bancs de bois pendant l'été. Parfois, dans les grandes chaleurs, ceux qui ne craignent pas les refroidissements vont dormir dans le grenier à foin, – refuge des courants d'air ; – mais c'est un luxe qu'on ne se donne qu'avant la fenaison, car, une fois les granges pleines, il n'y a plus de place pour les dormeurs ; et puis les bêtes n'aiment pas le foin qui a été foulé par le corps humain, et il ne faut pas gâter une marchandise si précieuse.

Nikita ne pouvait donc pas considérer comme très assurée la possession de ses vingt-cinq roubles en menue monnaie ; les fils et la fille qui lui étaient restés avaient une nichée d'enfants qui ne pouvaient manquer un jour de découvrir la cachette, et alors les *grivenniks* d'argent (dix kopecks) disparaîtraient après les kopecks de cuivre, jusqu'à ce qu'il n'y eût plus rien dans le sac.

Le vieux paysan se décida à faire encore une fois le voyage de la ville. Il emprunta le cheval et la charrette de son fils aîné, mit son *touloupe* des dimanches, et le lendemain reparut tout guilleret, un peu gris, serrant la main sur sa poitrine avec emphase.

Les petits, qui avaient de dix à quinze ans, le regardaient d'un air ébahi.

– Oui, mes petits pigeons chéris, mes vingt-cinq roubles ne sont plus qu'un morceau de papier ! Un joli morceau de papier lilas, cousu dans un petit sac ! Le grand-père dormira avec, et vous savez qu'il a le sommeil léger, le grand-père ! C'est fini, mes chéris, il n'y en a plus que pour moi. Eh ! eh !

Les petits garçons, qui avaient peut-être bien déjà tiré quelques quarts de kopeck de la cachette, ne partageaient pas l'hilarité du grand-père, ce que voyant, il leur allongea quelques coups de pied, tira les cheveux aux deux plus jeunes et alla se coucher sur le poêle, pour cuver en même temps son vin et sa joie.

Depuis lors, on vit le vieux Nikita se chauffer au soleil, pendant que tout le monde autour de lui travaillait rudement.

– À votre tour, mes amis, disait-il entre ses dents en les voyant partir pour la corvée ; j'ai payé ma dette, j'ai fait ma fortune, je vous ai mis au monde et élevés à l'âge d'homme... Nourrissez le grand-père ! Quand vous serez vieux, vos enfants vous nourriront !

Et alors Nikita tirait de sa poitrine le petit sac d'indienne qui contenait son billet de vingt-cinq roubles ; il le retournait, le flairait, le palpait, faisait crier sous ses doigts le papier soyeux et lisse. Un jour, pris d'une terreur subite, il alla chercher un couteau pointu, revint s'asseoir au soleil devant la maison et se mit à découdre soigneusement le petit sac. Une idée épouvantable avait traversé son cerveau...

Si, par quelque maléfice, le papier lilas avait perdu sa valeur !

Si on lui avait substitué un papier blanc, vulgaire, inutile !

Ses mains tremblantes le servaient mal ; il se piqua deux fois avec la pointe de son couteau et finit par se servir de ses dents pour ouvrir la mince enveloppe. Son regard anxieux fouilla les replis du papier... Il était toujours lilas, ce précieux billet de banque ! Il valait toujours vingt-cinq roubles !

Nikita le développa avec amour, le fit miroiter au soleil, regardant le jour au travers, suivant du doigt les contours de l'aigle à deux têtes, imprimé en clair dans l'épaisseur du papier ; et peu à peu, grisé par la vue de son capital aussi bien que par la douce chaleur d'un soleil de printemps, il se mit à lui murmurer des mots caressants et des paroles de bénédiction.

Une ombre s'interposa entre le soleil et lui.

Nikita leva la tête avec effroi, et le mauvais regard de ses yeux à demi aveugles s'arrêta sur l'intrus ; son visage prit alors une expression moins revêche, et il ôta son bonnet devant le prêtre de la paroisse.

– N'as-tu pas honte, Nikita, dit celui-ci d'une voix sévère, n'as-tu pas honte d'aimer tant l'argent ! Tes enfants suent sang et eau, faute d'un second cheval, et tu gardes là, dans ton sac, de quoi leur venir en aide et te faire bénir ! Tu n'as pas grand cœur !

– Mes enfants travaillent, père Yakim, répondit Nikita en clignant de l'œil avec une expression de malice sceptique, c'est tout juste ! J'ai bien travaillé, moi, et on ne m'a pas donné de cheval ! Et puis, un cheval, ça peut crever ! Et alors, adieu l'argent.

– Mais on peut avoir autre chose qu'un cheval, répondit le prêtre.

Ce prêtre était un excellent homme, porté à la philosophie, et qui faisait volontiers causer ses paroissiens, – pour voir ce qu'ils avaient dans l'âme, disait-il.

– Tu n'as jamais donné un cierge à la sainte Vierge ni à ton patron. Crois-tu qu'au jour du jugement ils seront disposés à prier Dieu en ta faveur ?

– Nous avons le temps d'y penser, repartit Nikita avec le même sang-froid.

– Comment, le temps ! s'écria le père Yakim. Vieux pécheur que tu es ! Te voilà aux portes du tombeau...

– Pas encore, mon bon père, je me porte très bien.

– Mais, malheureux, quel âge as-tu ?

– Je n'en sais rien, Votre Révérence.

– Quel âge avais-tu en 1812 ?

– Je pouvais bien avoir trente ans.

– Eh bien, tu vas sur tes soixante-dix ans, et tu parles d'avoir le temps ! Repens-toi de tes péchés pendant que Dieu t'épargne encore !...

– Je me repentirai, Votre Révérence.

– Et mets des cierges devant les images, entends-tu ?

– J'entends, Votre Révérence, nous en mettrons. Donnez-moi votre bénédiction, s'il vous plaît.

Le prêtre le bénit *gratis*, sans quoi le vieux malin ne lui eût rien demandé, et s'en alla, non sans sourire en dedans de lui-même à la pensée de la faiblesse humaine.

Quinze jours après, – Nikita n'avait encore offert de cierge à personne au paradis, – le cheval de son fils justifia les appréhensions qu'il avait exprimées dans son entretien avec le père Yakim : la pauvre bête mourut sans se plaindre, comme elle avait vécu, sous le harnais.

C'était un malheur pour toute la famille. Un cheval est aussi utile au paysan russe que la chemise qu'il a sur le dos ; dans ce pays, le sol se repose de trois années l'une : les distances à parcourir pour rentrer les biens de la terre sont souvent considérables. Il faut un cheval à tout prix, dût-on ne manger du pain qu'une fois par jour pendant un an pour le payer.

Les fils de Nikita se décidèrent à prier le vieillard de leur prêter de quoi acheter un cheval. Cette denrée n'est pas chère en Russie ; avant la guerre de Crimée, on pouvait avoir un bon petit cheval de peine pour douze à quinze roubles argent. Le dimanche, en revenant de la messe, avant de toucher au repas préparé pour la famille, les deux hommes se prosternèrent par trois fois devant Nikita, touchant la terre du front et se relevant sur les mains.

– Père, dirent-ils ensemble, sois notre bienfaiteur.

Nikita, impassible, attendit la requête.

– Tu sais que notre cheval est mort, dit l'aîné.

– Nous ne pouvons pas en acheter un autre... acheva le second.

– Oui, fit Nikita, le bon Dieu vous a éprouvés. On dit qu'il éprouve ceux qu'il aime.

– Prête-nous de l'argent pour acheter un cheval ! reprit l'aîné, puis tous deux en chœur : – Et nous prierons Dieu pour toi jusqu'à la consommation des siècles.

La famille entière, femmes et enfants, était derrière les suppliants, et se prosterna devant le chef de la famille. Celui-ci avait mis sa main dans sa chemise et palpait le petit sac suspendu à un cordon autour de son cou.

– Que le Seigneur prenne en pitié votre misère, répondit-il : je n'y puis rien.

– Oh ! notre père, notre nourricier, notre bienfaiteur, notre chéri !..... s'écrièrent toutes les voix de la cabane, élevées au diapason de la supplication, c'est-à-dire une octave en fausset au-dessus de l'ut fantastique des ténors. – Sauve-nous, protège-nous...

D'un geste très explicable, Nikita se boucha les oreilles. Il se leva ; l'audience était finie, les supplications s'arrêtèrent soudain.

– Vous m'ennuyez, dit le vieillard ; il y a des juifs ; empruntez.

Et il se mit à table au milieu du silence.

Tel est chez le paysan russe le respect de la famille, que personne ne répondit mot et que nul ne conçut l'idée de lui voler son petit sac. Sans doute, ses fils, hors de sa présence, ne manquèrent pas de l'appeler vieux ladre, vieux chien, et autres aménités semblables ; – mais le respect extérieur ne lui fit pas défaut un seul moment.

On alla chez le juif. Nikita avait dit vrai, il y a des juifs en Russie, il y en a beaucoup et partout, – et le plus clair de la fortune des paysans besogneux s'en va dans leurs mains rapaces. Un nouveau cheval fit son entrée à l'écurie, et la vie reprit comme par le passé, avec quelques privations en plus pour toute la famille ; – Nikita sut pourtant réclamer son ordinaire et se le faire servir.

– Ce n'est pas ma faute, disait-il à sa fille, si le cheval a crevé ! Je veux du kvas et du thé, comme toujours.

Et sa fille obéit, mangeant moins, travaillant plus.

Ce ne fut pas elle qui tomba malade, – la Providence a des justices mystérieuses, – ce fut Nikita !

Un soir qu'il était resté trop longtemps au bord de la rivière après le coucher du soleil, il attrapa la fièvre, et le lendemain force lui fut de rester sur le poêle, à grelotter, malgré la masse de peaux de mouton sous laquelle il disparaissait tout entier.

Deux ou trois jours s'écoulèrent ainsi, sans que le vieillard éprouvât de mieux. De temps à autre, il demandait à boire, d'une voix rauque ; – un de ses petits-fils, commis à sa garde, lui présentait la cruche de kvass ; – Nikita buvait à longs traits la boisson aigrelette, puis tournait le dos sans dire merci, et geignait un bon coup.

Le quatrième jour, cet état alarma la famille. Non que le paysan russe soit très tendre aux souffrances des siens : il fait assez peu de cas du mal d'autrui, ne faisant pas de cas du tout du sien propre ; l'esprit de fatalisme et de résignation, qui est un des traits distinctifs de son caractère, lui fait envisager la maladie et la mort comme des choses désagréables, mais très ordinaires, – à peu près comme les intempéries de l'air.

Mais Nikita était le chef de la famille : sa vie était donc plus précieuse qu'une vie ordinaire. Son fils aîné s'approcha de lui, et lui proposa d'aller chercher la sage-femme... Ô Français folâtres, ne riez pas ! Dans plus d'une campagne de votre pays, n'est-ce pas la sage-femme qui remet les bras et jambes endommagés à la sortie du cabaret ? N'est-ce pas elle qui panse les plaies et qui donne des tisanes contre les fièvres ?

– Le diable emporte la sage-femme ! grommela le vieillard. Je n'ai que faire d'elle pour mourir, si mon heure est venue !

– Mais la ville n'est pas très loin, hasarda le second fils ; si nous faisions venir le médecin ?

Il n'avait pas fini sa phrase, qu'il recevait à la tête la sébile de bois qui avait contenu le repas de son père. Il n'évita le coup qu'à moitié, et resta debout d'un air confus, essuyant avec sa manche son visage où quelques miettes de gruau s'étaient collées dans le choc.

– Le médecin ! oui, n'est-ce pas ? le médecin ! Il vous tarde donc bien de voir s'en aller dans les mains d'autrui le pauvre argent que j'ai eu tant de peine à amasser ! Est-ce que vous le payerez, ce médecin de malheur ? Vous viendrez me dire d'un ton piteux : – Père, nous n'avons pas le sou... c'est toi qui as été guéri..... Au diable tous, tous, tous !

Nikita se laissa retomber, et ne dit pas un mot de la journée. Le soir, il n'allait pas mieux ; sa respiration haletante devenait de plus en plus saccadée ; la famille prit peur, et on envoya chercher le prêtre.

– Bah ! il n'est pas si malade, pensa le père Yakim dès le premier coup d'œil : il est plus enragé que malade. Voyons où le bât le blesse.

Il s'approcha du poêle, s'assit sur un escabeau, et appela le vieux pêcheur par son nom : – Nikita Vlassief, lui dit-il, je suis venu te voir et t'apporter les consolations de la miséricorde divine.

– Bonjour, bonjour, grommela le vieillard d'un ton bourru.

– Te voilà donc malade, mon pauvre vieux ! Le bon Dieu t'a puni ! Je t'avais bien dit qu'au jour de l'épreuve tu n'aurais pas d'amis au paradis. Tu vois ce qui t'arrive pour ne m'avoir pas écouté.

– C'est vrai ! c'est vrai ! murmura Nikita d'un ton piteux. J'ai été un grand pécheur ! Que Dieu ait pitié de moi !

– Eh bien, tu peux te réconcilier avec le ciel et t'y faire des protecteurs : offre quelques beaux cierges de cire blanche à ton patron, à l'archange saint Michel, à la Mère de Dieu... Ils intercéderont pour toi.

Le visage de Nikita s'était refrogné ; il gardait un silence farouche. Le prêtre réprima un sourire.

– On t'a donc fait du chagrin, mon pauvre vieux ? lui dit-il en changeant habilement l'entretien déplaisant contre un autre plus au goût de son interlocuteur. Qui est-ce qui t'a contrarié ?

– Tous ! s'écria Nikita en levant son poing fermé. Ils sont tous enragés pour me faire donner mon argent ! L'autre jour, c'est ce maudit cheval qui s'est mis en tête de crever... puis le médecin, ce matin... et vous, mon révérend, sauf votre respect, vous tirez aussi mon argent à vous.

– Pas à moi, à l'église ! fit observer doucement le prêtre.

– À l'église ou à vous, qu'est-ce que ça me fait ? Vous voulez me l'ôter ; eh bien, non ! je ne le donnerai pas. Vous l'aurez quand je serai mort ! On me fera un bel enterrement, et vous mettrez autant de cierges qu'il vous plaira !... Entendez-vous, chiens ! s'écria-t-il en menaçant ses enfants du geste : même après moi, tout sera pour moi, et vous n'aurez rien !

– Calme-toi, lui dit doucement le père Yakim : ce n'est pas la peine de crier contre ceux qui ne te disent rien. Écoute-moi. Quand tu seras mort, et que le diable aura pris ton âme pécheresse, qu'auras-tu besoin de cierges autour de ton cercueil ? C'est maintenant qu'il faudrait témoigner un peu de repentir, faire de bonnes œuvres, distribuer ton bien aux pauvres. Tu n'as pas besoin d'aller loin pour en trouver, – ta famille n'est pas riche, tu leur donnes bien du souci, sans compter les mauvaises paroles que tu leur distribues gratis ! Voyons, donne-leur un peu d'argent, et je dirai des prières à ton intention, sans qu'il t'en coûte un kopeck.

– Non ! cria Nikita, non ! vous prierez quand je serai mort, pour mon argent, si vous ne voulez pas prier tout de suite gratis ; mais je ne donnerai rien ! Allez-vous-en tous, vous m'ennuyez !

Le père Yakim, qui avait bon cœur, se leva sans témoigner de colère, bénit le pécheur endurci, et s'en alla dire les prières promises, – car il n'avait pas l'âme vénale.

Dans la nuit, Nikita fut pris d'un délire effroyable. Il gesticulait, et menaçait des ennemis imaginaires qui en voulaient à son billet lilas. On alla réveiller le père Yakim ; mais le forcené ne reconnaissait personne.

– Vous ne l'aurez pas ! criait-il d'une voix aiguë, vous ne l'aurez pas, non ! Je le détruirai plutôt !

Et soudain, déchirant le sac avec ses ongles et ses dents, il arracha le billet, le tourna deux fois dans sa bouche, et l'avala. Il faillit suffoquer et demanda à boire. Quand il eut bu, il se leva tout debout, les yeux étincelants, et éclata de rire.

– Ha ! ha ! cria-t-il, vous ne l'aurez pas ! C'est moi qui le garderai ! Vous êtes attrapés, hein ?

La famille, consternée, ne savait plus où donner de la tête. Tout cela s'était fait si vite, que le prêtre lui-même n'en pouvait croire ses yeux.

L'accès tomba cependant vers le matin, et Nikita fut pris d'un lourd sommeil accompagné d'une sueur abondante.

Le prêtre alors s'en alla tout pensif à son logis.

– S'il en revient, se disait-il, ce sera une vilaine histoire. Heureusement j'étais là, sans quoi ces pauvres gens auraient passé pour des voleurs.

Nous ne voudrions pas prétendre qu'avaler un billet de vingt-cinq roubles soit un spécifique contre la fièvre chaude ; mais dans le cas dont il s'agit, le papier de l'État fit merveille. Après quatorze heures de sommeil, Nikita se réveilla, très faible, mais parfaitement guéri, ayant totalement perdu la mémoire de ce qui s'était passé. Pendant trois jours, il ne s'aperçut pas de la disparition de son trésor ; la famille épouvantée se gardait bien d'y faire allusion. – Mais, la mémoire lui revenant peu à peu, les gestes instinctifs revinrent avec elle ; Nikita palpa son petit sac, et, horreur ! le trouva vide.

– Ah ! les coquins, ils m'ont volé ! s'écria-t-il en furie.

On alla chercher le prêtre, et celui-ci, à force de répéter la scène dont il avait été témoin, finit par faire entrer dans la tête du vieillard la conviction qu'il avait bien et dûment avalé son capital.

– Dieu t'a puni de ta dureté envers les tiens, dit le prêtre en manière de conclusion : tu es condamné à vivre pauvre et dépouillé ; c'est le châtiment de ton orgueil. Reçois désormais de tes enfants que tu as si rudement traités le pain de l'amour filial et du devoir, – et observe que c'est le même qu'autrefois. L'intérêt ne guidait point leurs actions, comme tu l'as cru. Repens-toi de ta méchanceté, et prie Dieu de te pardonner.

À partir de ce moment, Nikita garda un silence obstiné ; rien ne pouvait le faire sortir de sa torpeur. On le portait dehors, car il était encore trop faible pour marcher. Il passait ses journées assis au soleil, c'était au cœur de l'été, – palpant machinalement le petit sac vide ; la tête affaissée sur sa poitrine, il semblait regarder au dedans de lui-même le cher billet perdu pour jamais.

Il mangeait bien toutefois, et ses forces revenaient peu à peu. Un jour, à l'aide d'un bâton, il put se traîner seul à sa place ordinaire.

– Allez, allez, dit-il à ses enfants, je n'ai plus besoin de vous ; je me porte bien à présent.

C'était la première phrase qu'il eût dite depuis sa maladie.

On le crut sauvé, et chacun s'en alla de son côté, car le travail des champs n'a jamais assez de bras au moment de la moisson.

Vers le soir, sa fille, qui revenait toujours la première pour préparer le repas, ne l'aperçut point sur son banc. Elle pressa le pas, mue par une vague inquiétude ; elle entra dans la cabane. Personne ! Elle sortit et parcourut le village ; – on n'avait pas vu Nikita. Elle courut à la rencontre des hommes, et les ramena au plus vite ; on chercha encore sans rien trouver. Celui qui ramenait le cheval, en poussant la porte de l'écurie, sentit quelque résistance ; il poussa plus fort, – un corps lourd frappa la porte comme un balancier...

Nikita s'était pendu à la poutre qui fait le dessus de la porte. Sa main droite pressait encore le petit sac vide sur sa poitrine décharnée. Il n'avait pas pu survivre à la perte de son billet lilas.

Les incendies en Russie

Au moment où les incendies de l'est de la Russie préoccupent toutes les imaginations, des souvenirs déjà lointains nous remontent à l'esprit. Ce qui se passe en 1879 est exactement ce qui se passait en 1862 : les mêmes menaces sont suivies des mêmes sinistres. Les causes sont-elles les mêmes ? c'est ce que personne ne pourrait affirmer ; jadis on accusait la Pologne, alors en pleine insurrection ; – maintenant ce sont les nihilistes, – mais le nihilisme existait déjà à cette époque.

Quoi qu'il en soit, il nous a semblé que le récit d'un témoin oculaire, scrupuleux observateur de la vérité, pourrait avoir en même temps qu'un intérêt rétrospectif celui d'une cruelle actualité. Le bazar d'Irbit était de tout point semblable à l'« Apraxiny Dvor » de Pétersbourg, – la terreur fut la même que celle qui agite aujourd'hui les populations d'Orembourg et de Samara, – Samara qui brûla alors presque en entier, sans qu'on pût lui porter secours. Quant aux impressions populaires, depuis Homère, elles ont beaucoup d'analogie entre elles ; et en ce qui concerne les Russes, depuis 1862, les classes inférieures ont pu changer en apparence, le fond est resté le même.

L'Église russe ne suit pas pour toutes ses fêtes le même ordre que l'Église catholique ; la Trinité, entre autres, se célèbre le lundi de la Pentecôte. Longtemps ce jour a été considéré par la classe marchande de Pétersbourg comme une fête spéciale. La ligne de démarcation entre les classes s'efface de jour en jour, et dans dix ans, on ne se souviendra plus qu'un semblable usage ait existé ; mais avant l'émancipation, nul couple appartenant au commerce et ayant une fille n'eût manqué de la conduire au Jardin d'été, où de trois à neuf heures du soir se tenait une véritable foire aux filles à marier.

En 1862, les vieux usages avaient encore force de loi, et l'émancipation toute récente n'avait encore rien changé aux coutumes de Pétersbourg. Le lundi de la Trinité se trouva être une journée superbe, aussi chaude qu'on pouvait le désirer, car le printemps était venu de bonne heure ; les arbres magnifiques du Jardin d'été, couverts de feuillage, se miraient dans la petite rivière Fontanka, peuplée de barques de louage à l'usage des amateurs, et la grande Neva elle-même était couverte de barques peintes en rouge, vert et blanc, avec l'image grossière de quelque poisson de fantaisie sur les deux côtés de l'avant.

Dans la grande avenue, qui va de l'étang à la grille de la Neva, grille où quatre ans plus tard Karakosof devait tirer sur l'empereur Alexandre, s'échelonnent de fort vilaines statues de marbre. On les revêt pendant l'hiver d'une chemise de planches pour les protéger contre les fortes gelées ; de mauvais plaisants prétendent que c'est par amour de l'art, pour en dérober la vue aux passants civilisés, et que l'été, le peuple n'ayant point le sens artistique aussi développé que la noblesse, alors dans ses terres, il n'y a pas d'inconvénient à les laisser voir. Quoi qu'il en soit, la blancheur des marbres n'est pas déplaisante à travers les feuillages, à condition que l'on n'y regarde pas de trop près ; et les marchands, admirant de bonne foi ces objets rapportés jadis d'Italie à grands frais, s'asseyent majestueusement sur les bancs qui décorent la longue avenue.

C'est là, rangées en files, vêtues de somptueuses étoffes de soie brochée, parées de bijoux anciens et coûteux, que se pavanaient les filles de marchands accompagnées de leurs mères, celles-ci toutes droites dans leurs lourdes robes de brocard, coiffées du simple mouchoir de soie noué en marmotte autour de la tête, mouchoir que les jeunes filles laissent pendre à plis droits après l'avoir attaché d'une épingle sous le menton. Tous ces usages sont passés comme l'ombre et comme le vent ; mais en 1862, une jeune fille de la classe marchande, son père remuât-il des millions, n'eût pas osé revêtir un costume parisien ni arborer un petit chapeau.

Les demoiselles bien et dûment installées, les jeunes gens s'approchèrent de l'avenue, plus communément par groupes, et se mirent à inspecter le troupeau. Le chapeau de feutre légèrement incliné sur l'oreille, le long cafetan bleu foncé, fin et brillant, battant leurs bottes hautes, ils cheminèrent à petits pas, regardant de ci et de là, riant et chuchotant entre eux, jetant des œillades aux jolies filles ou aux riches héritières. C'est de cette promenade que devaient naître le lendemain les trois quarts des demandes en mariage de l'année entière. Aussi les demoiselles subissaient-elles cet examen le cœur plein d'angoisses, mais avec un visage impassible, car la jeune marchande russe était élevée à la façon spartiate, de manière à ne jamais laisser paraître sa pensée sur son front.

L'après-midi se passa comme d'ordinaire, sans beaucoup d'animation ; c'est vers six ou sept heures qu'arrivait non seulement la grande masse des parties intéressées, futurs et futures, – mais encore la foule des curieux. Après s'être autant souciée du peuple que de ce qui se passait dans la lune, la noblesse, – et ce mouvement était dû presque uniquement à l'impulsion d'Ivan Tourgueneff, qui, par ses *Récits d'un chasseur*, venait de révéler à la Russie intelligente l'existence morale des classes inférieures, – la noblesse commençait à se préoccuper des mœurs, des goûts, des besoins même de tout ce peuple, son congénère, qui la coudoyait à tous les instants, et qui, par le fait, lui était totalement étranger.

« La foire aux promises » paraissait aussi singulière aux grandes dames russes que n'importe quel usage de l'Inde ou de la Chine, et beaucoup de familles avaient retardé leur départ pour la campagne afin de voir ce spectacle extraordinaire, qu'elles pouvaient avoir tous les ans. Parmi les promeneurs, on se montrait avec une curiosité singulière plusieurs jeunes gens du meilleur monde, qui affectaient de porter en public le costume national russe : le petit chapeau de cocher en feutre à bords relevés orné d'une plume de paon, les hautes bottes à revers de maroquin rouge, la chemise rouge et les culottes bouffantes ; mais celles-ci étaient de velours noir, ainsi que l'armiak, – léger pardessus, – et la chemise en soie du Caucase ; on se les désignait par leurs noms, – et l'on ajoutait l'épithète : « Slavophiles ».

Deux orchestres de musique militaire installés dans les massifs commencèrent à sept heures un répertoire composé uniquement d'airs russes, mais cependant très varié, où les morceaux d'opéra et les danses nationales se mêlaient de façon à charmer toutes les oreilles.

– Il y en a pour tous les goûts, se disaient avec un peu d'ironie les membres de la haute société, attablés devant le café du Jardin d'été où les garçons avaient fort à faire pour servir des glaces à tout le monde.

Soudain, au moment où mourait le dernier accord d'une ouverture célèbre, celle de la *Vie pour le Czar*, pendant ce silence profond gardé par un public convaincu, qui écoute encore après que tout est fini, on entendit un bruit de clochettes de l'autre côté de la Fontaka, et le roulement des équipages des pompes lancés à toute vitesse sur le pavé raboteux étouffa les premiers sons d'un quadrille populaire entamé par l'autre orchestre.

– Un incendie, se dit-on de groupe en groupe.

Mais les incendies étaient si peu rares à Pétersbourg en ce temps de maisons de bois, que nul ne s'en émut de ceux qui habitaient des maisons de pierre. Quelques-uns, parmi ceux que cela pouvait inquiéter, sortirent du jardin pour voir à une tour de veille les signaux arborés, qui indiquent le quartier menacé ; la tour de veille la plus proche, celle de la rue Saint-Serge, portait trois boules noires, qui se détachaient nettement sur le ciel bleu ; il s'en fallait de plus d'une heure que le soleil ne se couchât, à cette époque des nuits claires, où l'on peut lire à minuit dans la rue. Quelques habitants du troisième quartier, indiqué par les trois boules, se dirigèrent vers leur domicile plutôt par habitude que par crainte sérieuse, cette partie de la ville, située au centre, ne comprenant pour la plupart que des maisons de pierre ; les autres rentrèrent dans le Jardin d'été, où la musique et la promenade continuaient à qui mieux mieux.

Pendant un quart d'heure environ, le jardin garda son aspect de fête ; puis, peu à peu, sans motif apparent, les promeneurs diminuèrent en nombre. Un roulement continu de voitures se faisait entendre sur le quai, dont un rideau d'arbres et la rivière séparaient le jardin ; tous ceux qui s'en allaient se dirigeaient vers la porte qui s'ouvre près du Pont de Chaînes, du côté opposé à la Neva ; un murmure sinistre parcourut la foule, et l'on se mit à marcher plus vite ; quelques-uns, enjambant les petites haies, prirent à travers les gazons pour sortir les premiers, et une clameur sourde, déchirante comme une plainte, se répandit d'un bout à l'autre du jardin :

– L'Apraxiny Dvor brûle !

Tous les gens riches se levèrent, bousculant les chaises et les tables du café ; tout le monde se mit à courir vers le Pont de Chaînes ; seules les musiques militaires continuèrent à jouer leurs airs de danse dans le jardin désert ; on ne les avait pas relevées de leurs consignes.

La foule s'arrêta à la porte du jardin, frappée d'horreur, presque muette ; à peine quelques gémissements étouffés trahirent-ils une faiblesse ; puis, brusquement, tous ceux qui avaient quelque chose à perdre dans ce désastre, – et ils étaient nombreux, – se précipitèrent au pas de course vers le foyer immense où se consumait la moitié de la richesse de Pétersbourg.

Un vaste rideau de fumée, qui s'épaississait de plus en plus, s'interposait entre la terre, littéralement pavée de vêtements bariolés, de couleurs gaies et chatoyantes, et le ciel bleu devenu sinistre sous un premier voile de fumée, et qui disparut bientôt tout à fait. Une lueur rouge, pailletée à tout moment de jets de flamme, embrasait l'horizon à un kilomètre et plus de distance, et les édifices de pierre se dessinaient nettement sur le fond éclatant. Il n'y avait pas à en douter, c'était bien en effet « l'Apraxiny », comme on dit familièrement.

Ce marché, qui mesure près d'un kilomètre en tous sens, était alors composé d'une multitude de maisonnettes, de hangars, reliés par des galeries et des planchers de bois, le tout vieux et menaçant ruine, – mais rempli de marchandises précieuses. Le Gastinnoï-Dvor, ou bazar de Pétersbourg, vaste quadrilatère en briques, ne contient qu'un nombre restreint de boutiques et ne peut admettre de grandes quantités de marchandises. « L'Apraxiny ou Chtchoukiny-Dvor » servait d'entrepôt à la plupart des commerçants, et de plus recelait toutes les industries imaginables : meubles à bon marché, brocanteurs, marchands de bric-à-brac, voitures d'occasion, vieux fers, poterie, vannerie, épicerie, vins étrangers, comestibles de toute espèce, plumes et duvets, laines et crins, étoffes communes ou précieuses, fourrures, orfèvrerie, bijoux, ornements d'église, etc. – On trouvait là absolument de tout : tel qui y entrait couvert d'une souquenille pouvait en sortir vêtu comme un prince, avec une maison montée, et une fortune en diamants à son doigt ou aux boutons de sa chemise. C'était ce centre du commerce pétersbourgeois qui brûlait avec rage, comme un cent de fagots par tous les bouts à la fois, et quiconque voyait même à distance les tourbillons de fumée s'élever de plusieurs points éloignés les uns des autres, n'avait besoin de personne pour apprendre que l'incendie était dû à la malveillance.

Par quel miracle cet amas de poutres vermoulues, où il était interdit de pénétrer avec du feu, avait-il pu s'enflammer au moment où personne ne s'y trouvait, où, verrouillé et cadenassé de toutes parts, il était confié à la garde de Dieu et de quelques vieux gardiens émérites, habitués depuis vingt ans à fermer les portes et à dormir auprès ?

Une explication fort habile, – trop habile, circulait de bouche en bouche, et personne n'y croyait ; – mais chacun feignait d'y croire, car on ne savait pas ce qu'il plaisait à l'autorité qu'on crût. Un rideau placé près d'une lampe allumée devant les images des saints avait communiqué l'incendie. On ne s'attardait pas à penser que cet incendie s'était communiqué bien étrangement à des points privés de communications entre eux, ni que l'absence absolue de tout souffle de vent rendait plus invraisemblable encore cette fable du rideau enflammé ! On ne se disait aussi que tout bas comment les clefs avaient été introuvables quand il s'était agi de pénétrer au cœur du marché, et comment il avait fallu des haches pour enfoncer les portes, ce qui avait fait perdre un temps précieux, et comme quoi les tonneaux de réserve, qui devaient toujours être pleins d'eau, n'avaient pas été remplis la veille, négligence dont la fête de la Pentecôte était l'explication, sinon l'excuse, ni pourquoi le feu avait pris précisément autour du puits, de sorte qu'on n'avait pu se procurer de l'eau qu'à la rivière, à six cents mètres du foyer. Toutes ces choses ne s'échangèrent qu'à voix basse, et chacun rentra chez soi pour plus de sûreté.

Les marchands qui voyaient brûler leur fortune firent alors des prodiges de valeur ; la barbe et les cheveux roussis, les mains écorchées, ils arrachèrent aux flammes la proie qu'elles avaient déjà entamée ; on trouva des chariots ; les chevaux des pompes, alors inutiles, furent attelés à tous les véhicules imaginables, et le comte Nesselrode ayant fait savoir, dès la première nouvelle, qu'il ouvrait la cour de sa vaste demeure à toutes les marchandises sans asile, – sûrs qu'elles y seraient bien gardées, – les incendiés expédièrent aussitôt à la Litéinaïa tout ce qu'ils purent sauver.

Une lugubre file de camions se dirigea vers la maison Nesselrode, chargés d'objets de toute espèce ; le spectacle eût été du dernier comique s'il n'eût navré le cœur des plus indifférents. On avait chargé à la hâte les choses les plus bizarres sur des charrettes quelconques ; les ustensiles de cuisine, les meubles, les étoffes se heurtaient pêle-mêle au hasard des secousses du pavé. Des ballots arrachés au brasier, déjà entamés par les flammes, recommençaient à brûler en route, et plus d'une fois il fallut recourir à la bonne volonté des « dvorniks » ou portiers, qui apportèrent des seaux d'eau de l'intérieur des cours, pour éteindre ces incendies ambulants. Dans la perspective Litéine, un énorme chariot pesamment chargé d'étoffes sacerdotales, tissus de soie brochée, brocarts d'or et d'argent, roulait avec effort, traîné par un maigre cheval ; le bout d'une pièce d'étoffe qui pendait au dehors s'accrocha au moyeu de la roue, grosse poutre enduite de coaltar qui tournait en grinçant. À chaque tour de roue l'étoffe se dépliait et s'enroulait autour du moyeu. Un « garadavoï » ou gardien de la ville, voyant le dommage, tira son sabre et coupa le bout enroulé. Le chariot, débarrassé, continua sa route, et le superbe haillon, maculé de goudron, tomba après deux tours au milieu de la rue, où il fut piétiné par les chevaux qui suivaient. C'était un brocart à fond d'or niellé d'argent et semé de bouquets de roses en soie aux couleurs riches et sombres. Que d'objets précieux furent ainsi abandonnés pendant cette nuit fatale !

Les chariots emplirent bientôt la vaste cour de l'hôtel Nesselrode ; d'autres particuliers offrirent aussi un asile contre les voleurs qui étaient devenus aussi redoutables que le feu lui-même.

Bientôt il ne resta plus aux incendiés qu'à regarder le vaste emplacement de leur bazar, devenu une mer de flammes, où achevaient de se consumer leurs richesses. Divers bâtiments menacés par le voisinage réclamaient le secours des pompes. Le Corps des Pages, où se trouvait la fleur de la noblesse russe, la Banque, le théâtre Alexandre, divers ministères, le Gastinnoï-Dvor lui-même étaient si rapprochés du foyer d'incendie, que le moindre souffle du vent les eût réduits en cendres. Par bonheur, l'air était extrêmement calme, et les flammes s'élevèrent tranquillement vers le ciel, sans plus menacer la sécurité publique.

Le lendemain soir, on put s'approcher des décombres, on y trouva un cadavre calciné, – un seul, – ce n'était pas celui d'un gardien. Était-ce un des incendiaires ? Tout le fait présumer, mais on n'en a jamais eu la certitude.

Après un semblable désastre, chacun avait besoin de se reposer ; dans la matinée du lendemain, le feu se déclara sur deux points de la ville totalement opposés, – à la même heure, – de sorte que les secours durent se diviser, et par conséquent rester presque impuissants.

Pétersbourg, jadis presque entièrement construit en bois, sauf les édifices publics et quelques demeures princières, a de tout temps été soumis à des règlements de police très sévères. Les trottoirs, maintenant en granit de Finlande, étaient jadis en bois de sapin ; dans plusieurs rues, le pavé lui-même est en cubes hexagones de sapin, soumis à un séjour prolongé dans le goudron, afin de conjurer les effets destructeurs de l'humidité. On comprend dès lors ce que la moindre imprudence peut entraîner de malheurs. Ainsi, bien des ordonnances de police, qui nous semblent ridicules, ne sont en réalité que des précautions élémentaires. Il y a tout au plus vingt ans qu'il est permis de fumer dans les rues, et cette défense autocratique avait eu pour origine les imprudences réitérées des fumeurs, qui, en jetant au hasard leurs cigarettes mal éteintes sur les trottoirs mal balayés, souvent encombrés de paille ou de foin, avaient occasionné des accidents regrettables.

Une autre ordonnance, récemment remise en vigueur par la police supérieure de Saint-Pétersbourg, et qui a provoqué chez nous des exclamations sans fin, remonte aussi au beau temps où pas une nuit ne se passait sans incendie, il y a quarante ou cinquante ans. Les propriétaires eux-mêmes, dans leur propre intérêt, exigeaient que leurs portiers dormissent à l'extérieur de la maison, sur un banc, contre la porte, afin d'être réveillés au moindre bruit, soit par les passants, soit par les patrouilles, soit par les locataires, qui savent où les trouver en cas de danger.

Ce qu'on appelle un « portier » à Saint-Pétersbourg n'a rien de commun avec un concierge. Celui-ci trouve à peu près son équivalent dans le « suisse », bonhomme insolent, presque toujours ivrogne, obséquieux avec les puissants de ce monde, intolérable quand on ne lui glisse pas la pièce ; en un mot, le pendant de notre fléau domestique. La seule différence est qu'il est moins indépendant, et que ne touchant pas les loyers, n'étant investi d'aucune fonction qui entraîne une responsabilité morale, il est assez facile de le faire renvoyer ; or, chacun sait qu'à Paris, quand un concierge ne vous convient pas, on n'a qu'à déménager, coûte que coûte ! Le « suisse » offre donc au moins un avantage sur le concierge.

Le portier a dans la maison des fonctions bien différentes ; d'abord il n'est pas seul ; il doit avoir un camarade, un aide, qui partage avec lui les travaux très durs de la position. Le premier « dvornik », – car la hiérarchie est très nettement établie entre eux, – est chargé de récupérer les loyers, de veiller au bon ordre moral et matériel de la maison, d'enlever la neige des toits et des trottoirs, tous les jours, pendant les cinq mois d'hiver, d'arroser le pavé et le trottoir en été, de balayer les escaliers de la cour et le devant de la maison, etc. Ces diverses attributions exigent beaucoup d'adresse ; aussi le premier « dvornik » est-il payé très cher, – généralement, à raison de cinquante roubles par mois. Mais la police exigeant qu'il ait un aide, il paie cet aide sur ses appointements, ce qui réduit sa part à vingt-cinq ou trente roubles.

Seulement, notre premier « dvornik » a mille moyens d'augmenter ses ressources, – mille moyens légaux, qui finissent par lui constituer un revenu très satisfaisant. Les règlements de police, toujours en prévision des incendies, n'autorisent à garder dans les cuisines que la quantité de bois nécessaire à la consommation journalière ; le reste de la provision est conservé dans de vastes hangars, attribués à chaque locataire individuellement, avec la permission d'apposer un cadenas particulier. Ce bois ne monte pas tout seul ; c'est le « dvornik » qui a le privilège de le monter aux locataires, moyennant une redevance mensuelle qui est ordinairement de cinq roubles.

Il n'existe aucun moyen de se soustraire à ce tribut, augmenté généralement d'une redevance en nature, prélevée par « le dvornik » sous la forme d'un nombre de bûches proportionné à ses besoins, – et ce sans la moindre autorisation. Dans les maisons où l'eau ne monte pas à tous les étages, c'est encore le « dvornik » qui la monte avec son second dans un immense baquet nommé « l'oreillard », parce qu'il est orné en guise d'anse de deux bouts de bois percés qu'on appelle « oreilles », et dans lesquels passe une perche que nos deux fonctionnaires portent gaillardement sur l'épaule. Cela donne lieu à une autre rétribution mensuelle.

À celle-ci s'ajoutent les pourboires occasionnés par mille services que le « dvornik » rend d'ordinaire avec beaucoup de complaisance, tels que de monter les malles et les meubles, faire les commissions, débarrasser des domestiques malappris, etc. De plus, le « dvornik » est chargé, sous sa responsabilité, de faire viser au bureau de police les permis de séjour, sans lesquels personne, pas même les nationaux, ne peut séjourner quelque part que ce soit en Russie.

Lorsqu'un récent arrêté ordonna aux « dvorniks » de passer la nuit devant leurs maisons, on se récria chez nous sur cette barbarie ; en réalité, les portiers ont de tout temps dormi sur un banc de bois, relevé à une extrémité, construit tout exprès, et sur lequel ils s'allongent, revêtus en toute saison du « touloup » de peau de mouton, le cuir en dehors, la laine à l'intérieur, paletot chaud et commode qui les garantit également du froid mortel de décembre et des fraîches rosées de juillet. Ainsi vêtu, le « dvornik » s'étend sur sa rude couchette contre la grille de la maison, et dort d'un paisible sommeil. Si quelqu'un veut rentrer, il l'appelle par son nom ou par son titre ; le portier se réveille, le plus souvent sans grogner, s'approche en faisant tinter son trousseau de clefs qui, au besoin, serait une arme redoutable, reconnaît le locataire, lui ouvre la porte et se recouche tranquillement. Ajoutons ici que toutes les maisons ont des cours et des portes cochères.

Dans ces dernières années, les incendies devenus de moins en moins fréquents, grâce à l'interdiction de reconstruire autrement qu'en pierres ou plutôt en briques les maisons de bois qui disparaissent soit par le feu, soit sous l'action de la vétusté, – les trottoirs de bois ayant été remplacés partout, sauf dans quelques quartiers éloignés du centre, – la surveillance s'était fort relâchée, et les portiers s'étaient fait sans permission une douce habitude de dormir à l'intérieur de leur loge, – hormis l'été, où ils préféraient la fraîcheur du dehors ; – il a fallu pour raviver la surveillance remettre en vigueur un vieil édit que la tolérance seule avait abrogé.

Au mois de juin 1862, il n'était pas question de dormir tranquillement ; les incendies se succédèrent dans tous les quartiers de Pétersbourg avec une rapidité, avec une persistance telles, que les pompes ne purent plus suffire, si bien organisé que soit ce service en Russie.

Dans toutes les villes russes, on voit s'élever de très loin une ou plusieurs tours de veille, parfois construites en bois, parfois en pierre, qui dominent de beaucoup les plus hautes maisons. Deux veilleurs, relayés à intervalles fixes par deux autres, se promènent constamment sur un étroit balcon, au sommet de la tour, et explorent l'horizon sans relâche. À la moindre fumée suspecte ils se consultent, et aussitôt ils sonnent la cloche d'alarme, attachée à la rampe du balcon, et qui communique par une corde au quartier des pompiers. Pendant que ceux-ci se préparent à partir, les veilleurs hissent à une double potence de fer qui surmonte la tour des boules noires le jour, la nuit des lanternes, dont le nombre et la disposition indiquent l'endroit menacé. À ce signal les quartiers de pompiers les plus voisins de l'incendie envoient immédiatement des secours ; si au bout d'un certain temps l'incendie ne diminue pas, un pavillon rouge le jour, une lanterne de la même couleur la nuit, demandent une nouvelle expédition ; tous les quartiers, même les plus éloignés, envoient alors leurs pompes ; un troisième et dernier signal demande les réserves, – alors tous les hommes disponibles, avec tout le matériel de renfort, partent au galop de tous les quartiers de la ville.

L'organisation de ces pompes a été souvent vantée, et on est toujours resté au-dessous de la réalité. Au moment où la cloche d'alarme retentit, les hommes qui dorment ou se divertissent sont immédiatement sur pied, casque en tête, et courent aux remises. Les pompes et les chars à bancs d'équipe sont tirés à bras dans la rue, où la circulation des voitures est interdite si la largeur fait défaut ; les chevaux, toujours sellés et harnachés, sont mis aux brancards, et « trois minutes » après le premier signal, un pompier à cheval part en éclaireur, précédant de dix mètres, puis de cinquante, et enfin de cent, l'escouade entière, sur le chemin de laquelle il fait faire place nette. Les pompes sont la véritable toute-puissance devant laquelle tout s'arrête, la voiture d'un membre de la famille impériale aussi bien que le cercueil d'un archevêque : l'empereur seul et le maître de police ont le droit de passer outre ; mais, en cas d'incendie, leurs équipages prennent toujours les devants et arrivent sur le lieu du sinistre avant les pompes elles-mêmes. Les attelages à trois chevaux des cinq ou six véhicules qui forment une escouade sont les plus beaux et les meilleurs de toute l'Europe. Chacun de ces chevaux représente un capital ; ils ont la même robe, la même taille, le même galop ; ils peuvent franchir la distance comme des bêtes de course, s'arrêtent court et tournent les rues avec une intelligence extraordinaire, et sont vraiment des animaux d'élite. Pour les pompiers, nous n'en parlerons pas ; dans tous les pays on choisit ce corps parmi tout ce que les autres armes ont de meilleur, et ce serait commettre une injustice envers nos pompiers français que de mettre au-dessus d'eux ceux d'un autre pays.

Mais on a beau avoir un service exceptionnel, contre l'impossible il n'est pas de recours. On fit bientôt une triste découverte : pendant que les pompes galopaient au secours d'une masure qui flambait, le feu prenait à dix kilomètres de là, dans une fabrique, une caserne, ou quelque bâtiment important. Il fallut alors faire la part du feu, c'est-à-dire ne plus aller au secours que des édifices d'une valeur réelle. Une panique effroyable se répandit dans Pétersbourg, entretenue par des placards menaçants affichés sur les murailles, où le propriétaire était averti de la ruine de son immeuble. Les « dvorniks » veillaient-ils avec soin, des pelotes passaient par-dessus ces murs portant des promesses d'incendie ; on fit alors des arrestations plus nombreuses qu'effectives ; quelques-uns, fous de terreur, se jetèrent sur des innocents qui passaient, comme toujours, et leur firent un mauvais parti. Il y eut alors bien des cruautés inutiles commises, – le peuple était affolé !

Les mesures de rigueur, ou peut-être cette colère du peuple, détournèrent le fléau, et la province se trouva attaquée à son tour. Chose remarquable et qui donne à penser : c'est dans l'est de la Russie, comme à présent, que les incendies furent le plus fréquents et le plus désastreux. La ville de Samara, qui vient d'être menacée du même sort, fut brûlée presque en entier ; celle de Kiniechma, patrie du dramaturge Ostrovski, le fut aussi partiellement, sinon à la même époque, du moins peu de temps après ; – nombre de villages et de bourgades flambèrent vers le ciel comme des holocaustes ; les forêts prirent feu, et sur des dizaines de verstes la richesse du sol s'en alla en fumée, – et puis tout s'éteignit, même les passions violemment surexcitées, et le calme revint, – en apparence du moins.

Pour quiconque a vu ces choses, le passé est l'image fidèle du présent. Les marchands d'Irbit, rassemblés l'autre jour autour de leur bazar en feu, n'ont pas poussé d'autres cris, n'ont pas versé d'autres larmes que ceux de Pétersbourg quand ils ont vu brûler l'Apraxiny ; et Orenbourg, en voyant l'incendie dévorer quartier après quartier, en sentant qu'elle était dans la main puissante, non du malheur, mais du crime, a éprouvé la colère dangereuse et mauvaise conseillère de ceux qui se sentent frappés injustement. Nous l'avons connue, cette colère, quand les flammes ont dévoré Paris... Il ne faut donc pas s'étonner si la répression est cruelle et si les mesures de sûreté sont d'une rigueur exceptionnelle ; – c'est là une loi de notre faiblesse humaine à laquelle les très sages et les très forts peuvent seuls échapper. La rigueur ne sert à rien, la cruauté provoque les représailles, – chacun le sait, et chacun agit suivant ses passions. C'est pour cela que tout en déplorant l'erreur de ceux qui veulent combattre le mal par le mal, nous ne devons pas être trop sévères dans notre jugement. « Que ceux-là qui sont sans péché leur jettent la première pierre. »

L'ours blanc

Un riche seigneur russe s'ennuyait dans ses terres ; cependant, comme la plupart des propriétaires campagnards, il aimait mieux s'ennuyer chez lui que de s'amuser autre part. Où eût-il pu, du reste, trouver une cuisine aussi parfaite, des fruits aussi savoureux, de la crème aussi fraîche, et en toute saison la liberté d'agir à sa guise ?

Mais, précisément parce qu'il était le maître chez lui, il ne détestait pas un peu de controverse, et par-dessus tout il aimait les histoires.

Il les aimait tant, qu'il s'était fait raconter tout ce qu'il y avait d'anecdotes au monde : il en savait de russes, bien entendu, de finnoises, de toungouses, de chinoises, d'américaines, d'indoues... je ne parle pas des anecdotes françaises, celles-là sont les plus nombreuses, et, il faut bien l'avouer, souvent les meilleures.

Un jour qu'il s'ennuyait, comme à l'ordinaire, il vit arriver son neveu, jeune homme du plus bel avenir, diplomate en herbe, mais d'une herbe qui commence à pousser dru ; et ce neveu, qui ne venait guère qu'à court d'argent, se montra ce jour-là d'une prévenance extraordinaire.

– Qu'est-ce que tu es venu me demander ? fit l'oncle quand on eut servi le thé, pendant qu'ils allumaient des papiros.

– Oh ! mon oncle ! s'écria le neveu d'un air vexé.

– Il n'y a pas de quoi te fâcher, reprit l'oncle. Je suis toujours enchanté de recevoir des visites, – tu me désennuies ; aussi je bénis secrètement les déboires qui t'amènent ici.

– Eh bien, mon cher oncle, fit notre diplomate, en prenant, comme on dit, le taureau par les cornes, voici une belle occasion de remercier la Providence.

– Eh ! fit l'oncle en dressant l'oreille, si elle est trop belle, je ne bénirai rien du tout. Combien ?

– Cinq mille roubles, mon cher oncle... le meilleur des oncles !

– Je ne bénis pas ! dit l'oncle d'un air froid.

L'avant-dernière fois, c'était cinq cents roubles ; la dernière, mille : je trouve la progression trop rapide. Tu peux t'en retourner ; j'aime encore mieux m'ennuyer.

– Mon oncle adoré... je viendrai gratis la prochaine fois, je resterai une semaine entière !

Le neveu avait, en disant ces mots, une si drôle de mine, que l'oncle n'y put tenir, et se mit à rire. Voyant qu'il gagnait du terrain, le jeune homme reprit courage.

– Donnez-moi cinq mille roubles, mon cher oncle, et je vous raconterai une histoire toute neuve.

– Cinq mille roubles, malheureux ! Et qu'en veux-tu faire ?

– Je les ai perdus au jeu ! Un ami me les a prêtés pour payer dans les vingt-quatre heures, mais il en a besoin d'ici quinze jours.

– Imbécile ! Tu aurais pu t'amuser, faire la connaissance de deux ou trois petites personnes qui t'auraient si bien mangé ça, et presque aussi vite !

– Oh ! mon oncle, fit pudiquement le neveu... Dans la diplomatie !

– Hem !... je crois que tu te moques de moi... Voyons ton histoire. Mais si elle n'est pas bonne, tu n'auras rien !

– C'est entendu, mon oncle. Vous pouvez payer d'avance.

L'oncle alla à son secrétaire, fit une liasse de billets de banque et la posa sur la table, près de lui.

– Les voilà ! dit-il, – et il allongea un coup de sa cuiller à thé sur les doigts trop empressés de son neveu. Si l'histoire est bonne, tu les auras ; si elle est mauvaise, je les garde. Va !

Le neveu poussa un soupir de résignation, s'enfonça dans son fauteuil et commença comme il suit :

Il y avait une fois un oncle excellent, mais un peu avare, – comme vous...

– Hé ! fit l'oncle.

– Qui avait un neveu charmant, – comme moi, – mais un peu coquin...

– Comme toi, dit l'oncle. Ton histoire me plaît. Continue.

– Cet oncle était très riche, mais d'une avarice telle que jamais son pauvre neveu n'avait vu la couleur de ses dons : tout au plus en avait-il reçu une timbale et un couvert, le jour de son entrée dans cette vallée de larmes. En vingt-cinq ans, c'était peu, et notre neveu rêvait aux moyens d'en obtenir davantage. Il envoyait du gibier, des cigares, la *Revue des Deux Mondes* ; – l'oncle mangeait l'un, fumait les autres, coupait la troisième, remerciait, et ne donnait rien.

Le neveu cessa ses prévenances, espérant une explication ; peine perdue ! l'oncle ne semblait pas seulement s'en apercevoir. Du reste, oncle aimable, jovial, faisant bonne chère, hébergeant au besoin son neveu tout le long de l'année, mais ne lui donnant pas un rouge liard.

– Il avait raison, interrompit le premier oncle ; comme ça, son neveu l'amusait toute l'année pour rien. J'essayerai de ce système. Continue.

– Mais cet oncle avait un défaut, le plus grand de tous... Il était... comment expliquer cela d'un oncle sans lui manquer de respect ? Il était un peu... Il était absolument stupide.

– Tu n'y vas pas de main morte, quand tu habilles les oncles !

– C'est que, voyez-vous, mon oncle, celui-là n'était pas un oncle ordinaire, vu qu'il était extraordinairement bête... sa bêtise était connue à cinquante verstes à la ronde, il n'y avait pas de propriétaire dans le voisinage qui ne lui eût joué quelque tour. Mais notre homme était excellent, de sorte qu'il ne se fâchait de rien, et puis il était si simple, qu'il n'y entendait peut-être pas malice.

– C'est un oncle comme ça qu'il t'aurait fallu, hein !

– Je perdrais trop au change ! répondit le neveu de l'air le plus aimable.

L'oncle sourit.

– À force de faire des cadeaux inutiles à son oncle, notre pauvre garçon se trouva si pauvre, qu'il résolut de rattraper en une fois toutes ses mises de fonds, avec un petit intérêt, et ce n'était que juste, depuis le temps qu'il...

– Non, ce n'était pas juste ! interrompit l'oncle auditeur ; n'introduis pas de maximes diplomatiques dans une maison honnête !

– Juste ou non, continua le jeune scélérat, notre neveu se résolut à frapper un grand coup. Il monta son unique cheval, prit une petite valise et s'en alla à la ville. Il entra d'abord chez un bijoutier, puis chez un marchand de poêlons en terre ; ayant enfin terminé ses emplettes, il les casa soigneusement dans sa valise et se dirigea vers la maison de son oncle.

Celui-ci était de belle humeur ; la douce saison d'automne, un bon déjeuner et un excellent cigare l'avaient disposé à toutes les concessions qui ne seraient pas de purs dons.

– Qu'apportes-tu là ? dit-il en voyant son neveu déballer avec soin un tas d'herbes odoriférantes et une quantité de petits papiers couverts de noms latins, – en latin de pharmacie, qui, vous le savez, n'est autre chose que du latin de cuisine.

– Ce que j'apporte, mon oncle ? répondit le jeune homme d'un air solennel, vous allez le savoir. Il faut que je vous aime bien tendrement pour vous confier un secret d'une telle importance ! Mais vous m'avez toujours témoigné tant d'amitié, depuis le jour où vous m'avez fait cadeau d'une timbale et d'un couvert en argent...

– Mon Dieu, que tu étais petit ! interrompit l'oncle attendri par ces souvenirs.

– Oui, j'ai grandi, et mes sentiments ont grandi avec moi. J'ai appris, ces jours derniers, un secret d'une telle importance, qu'il renouvelle la face du monde, et je suis venu vous en faire part.

– Ah ! bah ! fit l'oncle très surpris.

– Cela vous étonne de ma part ! Ah ! vous êtes ingrat, mon oncle ! Depuis que j'ai l'âge de raison, ai-je manqué une fois à vous souhaiter votre fête, et ne vous ai-je pas envoyé du thé, du café, des livres, le peu enfin que me permettaient mes faibles ressources ?

– C'est vrai, tu es un bon garçon ! murmura l'oncle très touché.

– Eh bien, aujourd'hui, c'est mieux que tout le reste que je vous apporte, c'est le pouvoir absolu, c'est la domination du monde entier, c'est la fortune sans autres bornes que votre caprice !... Vous pouvez désormais acheter les mines de diamants de l'Inde, les îles du Pacifique, l'Afrique ou même l'Amérique...

– Veux-tu un verre d'eau ? fit l'oncle avec effroi, croyant que son neveu parlait dans un accès de fièvre chaude.

– Non, merci, mon oncle. En un mot, j'ai la pierre philosophale.

L'oncle regarda le neveu la bouche béante, puis la referma sérieusement et réfléchit. Après une demi-minute de réflexion :

– On s'est moqué de toi, mon pauvre ami ! dit-il, plein de pitié.

– Mon oncle, murmura le neveu, qui saisit notre homme par le poignet d'un air fatidique, j'ai fait... j'ai fait de l'or !

– Je voudrais bien voir ça ! fit l'oncle d'un ton goguenard.

Il avait beau être extraordinairement bête, cette idée-là ne pouvait pas passer du premier coup.

– Rien n'est plus facile. Vous avez une cave ?

– Oui, pourquoi faire ?

– Mais l'or, ça se fait toujours dans une cave ! Depuis Hermès Trismégiste, on n'a jamais fait l'or ailleurs que dans une cave. Faites-y descendre un fourneau ; j'ai là un creuset, les ingrédients nécessaires...

– Nous allons nous enrhumer !

– Si vous vous laissez arrêter par de puériles considérations... fit le neveu d'un air offensé.

– Non, non, attends, je vais mettre un manteau et des galoches. Je t'engage même à en faire autant.

Cinq minutes après, trois domestiques, plus étonnés l'un que l'autre, descendaient dans la cave l'attirail du neveu et un petit fourneau en briques, pas commode du tout, dont on se servait parfois pour faire des confitures.

– Sortez ! leur dit le neveu d'un air théâtral. Les trois domestiques une fois sortis, il ferma la porte et ouvrit le soupirail pour donner de l'air. La cave, au fond, n'était qu'un sous-sol, pas trop désagréable, mais sentant un peu le moisi.

Au grand ébahissement de son oncle, le jeune homme mélangea les herbes et les petits paquets, ajouta un peu d'eau, mit le tout sur le feu, et tout en remuant le mélange avec une cuiller à punch, il lut à demi-voix une formule abracadabrante qu'il avait copiée je ne sais où.

Le mélange exhalait une odeur abominable. L'oncle se bouchait le nez et restait près du soupirail, tout en suivant des yeux la fantastique cuisine de l'alchimiste.

– C'est fait, mon oncle ! dit celui-ci en lui passant la cuiller à punch. Cherchez vous-même le précieux métal.

L'oncle, non sans se brûler les doigts, plongea dans le mélange puant, et, après quelques recherches, amena deux ou trois grains d'or, – de l'or, à n'en pas douter.

– De l'or ! s'écria-t-il. Va-t'en me chercher mon éprouvette dans l'armoire de mon cabinet.

Le neveu disparut et revint au bout d'un moment ; l'or essayé à l'éprouvette donna le meilleur résultat. Il y avait bien un peu d'alliage, mais le neveu expliqua à son oncle que son peu de ressources l'avait obligé à prendre des marchandises de seconde qualité. Avec un choix plus sévère, on obtiendrait de l'or natif.

– C'est curieux, très curieux, murmurait l'oncle d'un air absorbé. Et... ça coûte cher ?

– Non, en comparaison des résultats obtenus, c'est une simple bagatelle.

– Ah !... Et d'où tiens-tu ce secret ? S'il y a là-dedans quelque influence de l'esprit malin, je ne voudrais pas, pour des biens après tout périssables...

– Rassurez-vous, mon cher oncle. C'est un vieux moine de Kief qui m'a confié ce secret. Il faisait un pèlerinage et s'est reposé chez moi. Il m'a trouvé selon son cœur et m'a révélé ce secret merveilleux. Il faut se préparer par le jeûne et la prière...

– Mais j'avais déjeuné !

– Mais j'étais à jeun, moi ! Et c'est moi qui ai fait l'opération !

– C'est juste.

– Et même, mon oncle, si vous vouliez bien me faire servir une petite collation...

– De grand cœur, mon ami ; remontons.

Nos deux alchimistes fermèrent à clef la porte de leur laboratoire, et le jeune homme se vit bientôt en face d'un lunch des mieux composés.

– Tu veux donc bien me faire part de ton secret ? dit l'oncle de l'air le plus caressant.

– Oui, mon cher oncle ; vous le méritez bien par votre bonté envers votre neveu orphelin.

– Je t'ai toujours tendrement aimé, dit l'avare plein d'émotion. Eh bien, donne-moi ta recette.

– De grand cœur, mon cher oncle. Mais il y a une petite condition.

– Laquelle ?

– Vous allez me compter vingt mille roubles argent.

– Vingt mille roubles ?

L'avare bondit jusqu'au plafond.

– Oui, mon cher oncle.

– Que veux-tu faire de mon argent, puisque tu possèdes le moyen de faire autant d'or qu'il te plaira ?

– Et les matières premières ? Il faut de quoi les acheter.

– Mais avec vingt mille roubles, tu aurais de quoi faire une montagne d'or, puisque tu dis que cela revient à si bon compte !

– Sans doute ! Mais je ne puis pas ne faire rien que de l'or pendant six mois ! Cela perd du temps ! Et puis, il faut être à jeun, vous savez ! N'avez-vous pas honte de marchander la possession d'un secret qui fera de vous mon unique rival ?

La question des finances se débattit longuement et finit par un compromis. Le neveu se contenta de dix mille roubles comptant, et promit de recommencer l'expérience le lendemain matin. La seconde épreuve ne fut pas moins satisfaisante que la première ; les pépites d'or étaient même plus belles et plus lourdes que les précédentes. Le traité reçut son exécution.

Le neveu dîna avec son oncle, empocha l'argent, et prit congé.

– Comment ! tu t'en vas ? fit l'oncle dépaysé. Je croyais que tu allais rester pour m'aider ?

– Vous n'avez pas besoin de moi. Vous avez vu comment je m'y prends ; je vous ai laissé des matériaux ; d'ailleurs vous avez la liste et les proportions, et la formule... Je n'oublie rien ? À jeun, vous savez ?

– Oui, oui, sois tranquille.

– Non, je crois que c'est bien tout... je n'ai rien oublié... Eh bien, adieu, mon cher oncle, bonne chance !

Il se fit amener son cheval, l'enfourcha et partit.

L'oncle resté seul s'allongea dans un fauteuil et se mit à rêver. Quelles perspectives s'ouvraient désormais devant lui ! Il ferait de l'or jusqu'à ce qu'il en eut plein toutes ses caves, plein tous ses coffres... et quel plaisir d'avoir tant d'or ! Il ferait bâtir une nouvelle maison, les meubles viendraient de Paris en droite ligne ; les frais de douane seraient énormes, mais qu'importe à celui dont le capital est inépuisable !...

Après avoir meublé le rez-de-chaussée de la maison imaginaire, il passait à l'aménagement du premier étage, lorsqu'il entendit retentir sur le sol, durci par les premières gelées, les sabots d'un cheval lancé à toute vitesse.

– Qui diable est cela ? se dit-il.

Avant qu'il eût le temps de se mettre sur ses pieds, son neveu entra, pâle, hagard, les cheveux en coup de vent.

– Mon oncle, s'écria-t-il, vous n'avez pas encore commencé ? Dites-moi que vous n'avez pas commencé !

– Mais non ! tu sais bien que nous venons de dîner, et qu'il faut être à jeun.

– Que le Seigneur soit loué ! J'arrive à temps. Ah ! que de remords, mon oncle, si vous saviez !

– Quoi donc ?

– J'avais oublié de vous dire... Mais puisqu'il en est encore temps, il n'y a rien de perdu. Au nom du ciel, mon oncle, quand vous ferez de l'or, ne pensez jamais à l'ours blanc, sans quoi l'opération ne pourrait pas réussir.

– L'ours blanc ?

– Oui ; l'ours blanc a une influence contraire à celle des planètes, et la simple évocation de son image suffit à troubler la manipulation des métaux dans le creuset. Ainsi, ne pensez pas à cet ours fatal.

– Le diable t'emporte avec ton ours blanc ! grommela l'avare ; je n'y ai pas plus pensé qu'à me pendre. Tu m'as fait une frayeur ! Pourquoi veux-tu que je pense à l'ours blanc ?

– On ne sait pas ! le hasard est si grand ! Enfin, vous voilà prévenu ; maintenant, je m'en retourne...

Il sortit sans empêchement..., et fut cinq ans sans reparaître dans les environs.

Cinq ans après, pensant qu'il y avait prescription pour lui, il se hasarda à revenir à ses pénates ; chez un propriétaire voisin, il se rencontra avec son oncle. Il s'attendait à de cruels reproches... Point !

– Te voilà ? lui dit son oncle d'un air triste.

– Oui, j'ai fait le tour du monde...

– Tu sais ? Je n'ai pas eu de chance...

– Comment cela, mon oncle ?

– Je n'ai jamais pu réussir l'opération ! je l'ai pourtant recommencée deux cents fois... Mais c'est ta faute, aussi ! Qu'avais-tu besoin de me parler de l'ours blanc ? De ma vie je n'y avais songé, et maintenant il ne me sort plus de la tête !

Le jeune diplomate avait fini son histoire.

Son oncle, sans mot dire, lui passa la liasse des billets de banque.

– Mais n'y reviens pas, dit-il, car ta prochaine histoire me trouverait plus exigeant pour le même prix.

Tante Marguerite

J'avais seize ans lorsque je m'aperçus que le petit perron de notre terrasse n'offrait rien de particulièrement agréable quand ma tante Marguerite n'y était pas. C'est là que, le regard plein de cette douceur résignée qui lui était particulière, elle passait les journées à broder une batiste transparente, s'arrêtant parfois pour regarder voler les hirondelles, là-haut, là-haut, dans le ciel bleu... Je suppose que les mignons oiseaux ne lui apportaient point de nouvelles de son mari, envolé un beau jour, on ne sait où, avec une figurante d'opéra-comique, et les trois quarts de la dot de ma tante.

À proprement parler, Marguerite n'était pas notre tante, mais tout simplement une cousine de ma mère ; – il est des liens de parenté choisie, resserrés par l'amitié, qui deviennent inaltérables ; ma mère ne pouvait plus se passer des soins délicats, de l'affectueuse vigilance de notre chère Marguerite. Un beau jour, six mois après la fuite de son mari, nous l'avions vue arriver, un peu pâle, mais calme, un sourire sur les lèvres, et une plaie incurable dans le cœur, – mais je n'étais pas alors de force à déchiffrer le cœur de ma tante.

– J'ai besoin de changer d'air, voulez-vous de moi pour quinze jours ? dit-elle à ma mère.

– Toujours ! répondit l'admirable créature qui n'avait jamais vu couler une larme sans chercher à l'essuyer, et Marguerite nous était restée.

Je la trouvais donc charmante ; mais je ne savais trop si je n'étais pas très fâché contre elle. Fort soucieux de ma dignité d'homme, depuis un an ou deux, j'esquivais le baiser qu'elle nous donnait matin et soir. Se laisser embrasser comme une petite fille, c'était bon pour mon frère, plus jeune, et d'une nature plus efféminée, mais moi, futur militaire, amateur d'exercices guerriers, – bien malgré le vœu de mon père, il faut le dire, – j'en eusse été honteux.

Cette année-là, cependant, je fus pris au dépourvu.

Le jour où, premier de ma classe, et fier de mes succès, je revins au logis pour les vacances d'été, la tante Marguerite, d'un geste spontané, m'attira à elle et m'embrassa sur les deux joues ; moi, resté interdit, je la suivis des yeux, non sans un certain trouble, où la honte et le dépit d'être traité en enfant se mêlaient à un sentiment d'une espèce inconnue. Depuis, elle n'avait plus recommencé, et je la voyais caresser mon frère toute la journée. C'était très mal de sa part ! Pourquoi cette préférence ? N'avions-nous pas droit aux mêmes caresses ? Je me sentais lésé de cette injuste répartition.

Quelques jours plus tard, j'étais à dîner près de ma tante ; je me mis à la regarder attentivement, pour la première fois de ma vie, je crois, et je m'aperçus qu'elle était très jolie. D'abord elle n'avait pas plus de vingt-sept ou vingt-huit ans, et puis son petit col droit formait une ligne étroite entre sa robe noire et son cou blanc, légèrement veiné de bleu... la chaîne d'or de sa montre effleurait sa chair délicate... c'était très gentil, et je m'étonnai de ne pas l'avoir remarqué plus tôt.

– Qu'avez-vous, Étienne ? me demanda ma tante, surprise de mon attention inaccoutumée.

Ce *vous* me choqua : elle venait de tutoyer mon frère. Je regardai Paul de travers et je répondis avec aplomb :

– Rien, ma tante, c'était une mouche.

Elle passa lentement sur son cou sa petite main satinée d'une forme exquise. C'est bien joli, l'or des bijoux sur une peau blanche et moelleuse... Après le dîner, je m'assis à ses pieds sur le perron, et je lui demandai à voir ses bagues. Elle me livra ses doigts tièdes et souples, et pendant qu'elle causait avec ma mère, sans plus s'occuper de moi que de l'empereur de Chine, je sentais un bien-être si complet, une langueur si délicieuse s'emparer de moi, que je ne songeai plus qu'à prolonger cette jouissance. De mes ongles longs et bien soignés, je rayais la peau délicate, qui rougissait légèrement ; elle se fâchait un peu et retirait sa main, je la retenais en lui demandant pardon... Ce jeu dura quelque temps, mais il faut croire que j'y mis trop de vivacité, car elle se leva soudain, m'effleura la joue du bout des doigts, et m'envoya dans le jardin.

– Venez avec moi, tante, lui répondis-je.

– Non pas, dit-elle ; un méchant garçon qui m'égratigne !

– Allons, petite, venez, répétai-je. – Elle était debout au haut du perron, je la poussai doucement : surprise, elle faillit tomber sur les marches. D'un mouvement rapide, je la retins par la taille ; son cœur battait vite sous ma main... je l'avais effrayée.

– Vous êtes méchant aujourd'hui, Étienne ! fit-elle avec reproche.

Je l'entraînai dans l'allée en lui demandant pardon, et pour sceller la réconciliation, je portai à mes lèvres sa main restée dans les miennes... elle sourit, pardonna, et nous fûmes grands amis le reste du jour.

Je n'eus garde de perdre la douce habitude de baiser ses mains soyeuses ; la présence de mon frère ne me gênait pas ; mais à la seule idée que ma mère pouvait se douter du plaisir que j'y trouvais, je me sentais rougir de colère et de honte. Cette catastrophe finit cependant par arriver.

Un dimanche soir, nous étions tous réunis autour de la chaise longue de ma mère, qui ne se levait plus guère que pour présider les repas, si tristes sans elle ; mon père dessinait, et nous causions.

– Vous m'avez fait mal hier, Étienne, dit ma tante en souriant ; voyez, mes mains portent encore la trace de vos ongles.

– Il s'imagine tout réparer en les baisant pendant une heure, s'écria Paul. Je ne veux pas qu'on fasse mal à ma tante chérie, moi ! Entends-tu ?

Je me sentis rougir jusqu'à la racine des cheveux ; mû par un vague effroi, je regardai furtivement de côté, et je vis, – horreur ! – ma mère et Marguerite échanger un léger sourire. Mon père aussi avait souri, sans lever les yeux de son dessin, et Paul me faisait des yeux moqueurs... J'éprouvai soudain un plaisir cruel, irrésistible de me venger de tous, et de ma tante en particulier. Pourquoi riait-elle de ce qui me faisait souffrir ?

– Tante Marguerite, lui dis-je nettement, – cet âge est sans pitié, – comment se porte votre mari ?

Ma tante rougit, et ses yeux se remplirent de larmes. Depuis son abandon, c'était bien certainement la première fois qu'on lui parlait ainsi de son infidèle époux. À cette phrase inouïe, mon père se retourna avec indignation, et ma mère me jeta un regard mêlé de douleur et de reproche ; mais j'étais décidé à me venger, et je n'en tins compte. Le nez en l'air, j'attendais une réponse ; ma tante tourna vers moi ses beaux yeux bruns veloutés, et dit d'une voix légèrement altérée :

– Je suppose qu'il se porte bien ; il y a longtemps que je n'ai eu de ses nouvelles.

– Il faut pourtant qu'il y ait eu de votre faute, ma tante, pour qu'il vous ait quittée ; on dit qu'il vous aimait beaucoup avant votre mariage ?

Ma mère fit un mouvement de terreur ; mon père, irritable et nerveux, s'était levé blême de colère, un geste de Marguerite les contint. Quant à moi, une fois lancé, il me devenait impossible de me retenir sur la pente.

– À ce que j'ai dû comprendre, répondit ma tante avec une douceur angélique, mes défauts étaient de nature à le choquer très vivement.

– Ou peut-être, – vous êtes très jolie, tante Marguerite, mais l'autre était plus jolie que vous ? répliquai-je avec cette cruauté obstinée de ceux qui font mal, le savent et ne veulent pas en convenir.

– Ce n'est pas difficile, dit ma tante en se mordant les lèvres pour ne pas pleurer. Elle parvint à sourire et me regarda en face, les yeux pleins de larmes retenues par un effort suprême ; ses mains entrelacées s'agitaient nerveusement sur ses genoux.

Mon père était sorti en fermant violemment la porte, ma mère ne retenait plus les larmes que provoquait ma méchanceté, mon frère se rongeait les ongles d'un air à la fois furieux et épouvanté, car il voyait un terrible châtiment suspendu sur ma tête... J'eus honte de moi-même, un peu peur de mon ouvrage, et d'un bond je sautai dans le jardin.

Le regard de ma tante m'y poursuivit ; la résignation patiente, l'angoisse et la prière qu'il exprimait m'avaient troublé : jamais ces beaux yeux veloutés ne s'étaient arrêtés ainsi sur moi ; ce regard s'adressait à un homme, et non à un enfant, j'en étais fier ; mais à quel prix l'avais-je obtenu ? Je me rappelai alors les nuits d'insomnie de ma fièvre chaude ; lorsque ma mère épuisée s'endormait pour un instant, je voyais la tante Marguerite, assise à mon chevet, me veiller avec une tendresse infatigable, me soutenir la tête de son bras pendant des heures entières ; je me souvins comment elle calmait mon délire avec de douces paroles, des caresses maternelles, comment je m'endormais, épuisé, cherchant à lire dans ses yeux protecteurs l'assurance d'un prompt soulagement à mes souffrances... Jamais ce regard ne m'avait trompé, jamais sa voix ne m'avait menti... Je me sentis soudain lâche et ingrat. J'aurais voulu courir à elle, et à genoux, la tête cachée dans les plis de sa robe, lui dire que je l'aimais, implorer son pardon... mais devant les autres ? Jamais, – plutôt mourir ! Le cœur débordant de désirs contraires, je me jetai sur le gazon et je pleurai amèrement. Je l'aime, me disais-je, cette chère tante, et je lui ai causé du chagrin ! Remords poignant d'avoir fait souffrir ceux qu'on aime !...

Le jardin était devenu sombre, il fallait traverser le salon pour rentrer, et j'aurais de beaucoup préféré passer la nuit à la belle étoile. Au bout d'une allée de tilleuls j'aperçus une forme blanche assise sur un banc ; le cœur ému plus que je ne puis le dire, je me dirigeai de ce côté.

C'était Marguerite qui se leva en m'apercevant.

– Tante Marguerite, lui dis-je, ne vous en allez pas, ou je croirai que vous ne voulez pas me pardonner.

Elle se rassit, et moi près d'elle. J'avais trop de choses à lui dire, je ne savais par où commencer.

– Allons sur la pelouse, me dit-elle à mi-voix.

Je la suivis. Aux faibles lueurs du crépuscule, je voyais ses yeux briller de l'humide éclat des larmes, mon cœur bondit.

J'aurais bien voulu prendre la main qui pendait à son côté, je m'en sentis indigne.

– Vous devez me croire méchant ou fou, lui dis-je, et cependant il n'en est rien ; j'ai été grossier et cruel... si je vous dis que j'en suis très malheureux, me croirez-vous, me pardonnerez-vous, chère tante Marguerite ?

En parlant, je pris sa main, que je passai sous mon bras ; elle résistait un peu, je portai cette main glacée à mes yeux pleins de larmes, elle céda.

– Vous m'avez fait beaucoup de mal, Étienne, dit-elle après un long silence ; vous avez agi comme un enfant inconsidéré.

Ce mot me parut très dur à entendre, mais je l'acceptai intérieurement comme une punition encore trop douce pour la grandeur de mon crime.

– Je suppose, continua-t-elle, que vous n'avez pas compris l'étendue de votre faute.

– Voilà ce qui vous trompe, lui répondis-je en baissant la tête ; je savais très bien que j'étais ingrat, que j'agissais lâchement, et pourtant je ne pouvais retenir ma langue ; j'avais besoin de me venger.

– De quoi ? demanda ma tante en souriant.

– Pourquoi avez-vous ri tantôt, quand ce stupide Paul...

Aller plus loin était impossible.

Ma tante se mit à rire.

– Vous riez encore ! C'est très vilain. Pourquoi vous moquez-vous de moi ? Je vous aime beaucoup.

– Je le sais bien, répondit-elle tranquillement, mais ce n'est pas une raison pour me faire souffrir.

Enhardi par sa bonté : – Vous me pardonnez ? lui dis-je.

– Oui, mais il ne faudrait pas recommencer.

Je la dépassais de toute la tête ; enivré par la douceur inattendue de la réconciliation, je me penchai sur elle et j'effleurai ses cheveux de mes lèvres. Elle ne me laissa pas le temps de savourer cette impression délicieuse et m'entraîna en courant jusqu'au milieu du salon.

– Voici le délinquant, dit-elle en me prenant par l'oreille et en me conduisant à ma mère. Il a pris soin de se punir lui-même, et je vous demande comme une faveur personnelle de vous en remettre à moi pour le reste de son châtiment.

Mon père n'entendait pas raison sur ce chapitre, et ma tante eut quelque peine à obtenir ma grâce ; il ne s'agissait de rien moins que de me renvoyer tout droit à l'école militaire. Enfin elle vint à bout de convaincre mes parents de mon repentir, et peu à peu, grâce à sa douce influence, je me sentis rentrer en faveur.

Elle avait dit vrai en annonçant qu'elle se chargerait de me châtier ; pendant quinze jours, il me fut impossible de la trouver seule. J'avais cependant beaucoup de choses à lui dire... Elle s'en doutait probablement, car pendant les longues soirées d'été qu'elle passait à broder son éternelle batiste, elle me condamnait à lui faire la lecture. Un soir, Paul était allé se coucher de bonne heure, ma mère était dans sa chambre, mon père sorti ; je levai les yeux et je la regardai comme je n'avais pas osé le faire depuis longtemps ; nous étions seuls, la porte ouverte sur la terrasse laissait entrer de gros phalènes qui se heurtaient bruyamment au plafond ; la lumière de la lampe, concentrée par un épais abat-jour, éclairait vivement le profil délicat de ma tante Marguerite, renversée dans un grand fauteuil, et laissait tout le reste de la vaste pièce dans un vague demi-jour... les cheveux châtains qui se jouaient sur le cou laissaient deviner une petite oreille rose et transparente... je fermai résolument mon livre. Tante Marguerite releva la tête.

– Pourquoi ne lisez-vous plus ? fit-elle négligemment.

– Je ne veux plus lire, fis-je avec une violence inexplicable ; – qu'avait-elle dit qui pût m'irriter ?

Un sourire malin fit imperceptiblement frémir une fossette qu'elle avait au milieu de sa joue...

– Très bien, dit-elle, vous êtes fatigué ? Pauvre Étienne ! je vais me coucher.

Elle plia lentement sa broderie, se leva, s'étira un peu et s'approcha de la porte ouverte. Sa silhouette gracieuse se détachait sur le fond plus sombre ; j'eus grande envie de l'enlacer et d'aller courir avec elle, à perdre haleine, dans le jardin obscur et parfumé... Elle le sentit peut-être, car elle se retourna vivement, jeta un regard de regret vers les épais massifs plongés dans l'ombre, – je suis sûr qu'elle pensait à son mari dans ce moment-là, – et me dit d'un ton indifférent :

– Bonne nuit, mon enfant.

Mon enfant ! je fus trois jours sans vouloir lui parler.

Cependant la nécessité nous rapprocha. Depuis quelque temps, ma mère ne se levait plus.

Non qu'elle souffrît, – du reste nous n'en savions rien, car elle avait dépéri sans jamais se plaindre. Nous étions loin, pourtant, de la croire en danger ; mon père, qui l'adorait, ne voyait dans cet affaiblissement qu'un malaise passager ; accoutumé à la voir depuis dix ans étendue sur sa chaise longue, il formait, au contraire, des plans pour l'hiver, et se réjouissait particulièrement de la disposition nouvelle de notre appartement de ville, qui lui permettrait d'être toujours auprès de sa chère Marie.

Ma tante Marguerite, cependant, avait un air préoccupé qui m'avait frappé. Elle n'était pas heureuse, il n'y avait donc rien d'extraordinaire à ce qu'elle fût mélancolique ; pourtant, je la surprenais à nous regarder, Paul et moi, avec une expression de tendresse compatissante que je ne m'expliquais pas.

Mon frère s'en aperçut.

– On dirait, tante Marguerite, que vous nous aimez mieux depuis quelque temps, lui dit-il un jour.

– C'est vrai, mes pauvres enfants, répondit-elle en se penchant sur lui.

Tous les soirs, depuis que ma mère ne se levait plus, je rejoignais Marguerite dans le jardin, où elle faisait une heure de promenade pour la nuit. Quand je passais sa main sous mon bras, elle ne résistait pas, ses yeux profonds et mélancoliques semblaient scruter mes pensées secrètes, et loin de les fuir, je ne pouvais me rassasier de ses regards. On eût dit pourtant qu'elle ne me voyait pas, et qu'elle examinait quelque chose d'invisible, enseveli au plus profond de moi-même ; nous causions beaucoup, et de choses graves, et je la quittais parfois ému, souvent sérieux, toujours plein d'une extase profonde et durable.

Un soir, aux premiers jours d'automne, je courus la rejoindre dans l'allée des tilleuls. L'air était à la fois lourd et froid. De gros nuages gris roulaient tristement dans le ciel, et un souffle glacé jetait à nos pieds des feuilles encore vertes, arrachées aux arbres grelottants. Elle marchait avec lenteur, enveloppée dans une mante bleue ; en me voyant, elle prit mon bras et me dit brusquement :

– Étienne, vous n'êtes plus un enfant.

Un frisson de joie parcourut mon être ; ses yeux étaient fixés sur moi avec une expression de tendresse indicible.

– Sauriez-vous bien aimer, continua-t-elle, aimer avec une abnégation complète, sacrifier vos plaisirs et vos goûts à ceux d'un être qui aurait besoin de vous ?

Je crus qu'elle avait besoin de moi, et, le cœur débordant d'une sensibilité exaltée, je répondis :

– Mettez-moi à l'épreuve.

– Bientôt, peut-être ! dit-elle tristement. Mon cher Étienne, il est toujours beau d'être brave ; mais, vous désirez embrasser l'état militaire, vous en coûterait-il beaucoup d'y renoncer ? Vous savez que ni votre père, – sa voix s'altéra légèrement, – ni votre mère ne vous voient suivre cette carrière avec joie.

– Et vous ? lui demandai-je avec regret, car depuis mon enfance les armes avaient pour moi un attrait puissant.

– Je suis de l'avis de votre père ; il serait bien heureux si vous consentiez à suivre une autre voie.

– Le désirez-vous beaucoup, *vous* ?

– De tout mon cœur.

– C'est très grave, tante Marguerite ; vous me demandez de vous sacrifier le rêve de toute ma vie ?

– Je le sais, répondit-elle en me regardant en face et en s'arrêtant.

– Dites-moi comme autrefois : Étienne, je t'en prie.

– Mon cher enfant, dit-elle avec abandon, je t'en prie ! C'est le seul vœu que je forme à présent.

– J'obéirai, répliquai-je, non sans un soupir... car je me sentais un peu attristé, – mais pour l'amour de vous seule.

Elle me serra la main sans parler. La première joie d'un sacrifice venait de se révéler à moi, en même temps que son aiguillon. Je marchais auprès de ma tante, un bras passé autour de sa taille, habitude d'enfance qui m'était restée ; et, dans les miennes, sa main, que je portais souvent à mes lèvres... mais ce n'était plus assez.

– J'ai bien mérité un baiser, lui dis-je à voix basse ; le sacrifice me coûte, vous le savez...

Elle me tendit son visage ; dans l'obscurité les coins de nos lèvres se rencontrèrent... et je sentis qu'elle me rendait mon baiser rapide.

Une extase inconnue m'inonda ; il me sembla qu'il m'était poussé des ailes, et que je planais avec Marguerite au-dessus de cette misérable terre. Cette sensation était si pure que je ne songeai qu'à me recueillir pour la savourer, si forte qu'en se renouvelant, elle m'eût paru détruire mon être. Incapable de faire un pas de plus, je m'assis sur un banc qui se trouvait là, sans quitter la taille ni la main de Marguerite.

Au bout d'un instant, une goutte chaude tomba sur ma main... elle pleurait.

– Qu'avez-vous, mon bon ange ? lui dis-je avec inquiétude.

– Vous le saurez, répondit-elle en étouffant un sanglot.

– Vous me disiez *toi*, tout à l'heure.

– Tu le sauras, mon enfant, répéta-t-elle. Étienne, ta promesse est sacrée, souviens-toi !

Je m'inclinai sur elle pour baiser ses cheveux... elle pleurait, la tête appuyée sur ma poitrine, sans répondre à mes questions autrement que ce mot :

– Plus tard.

Elle se remit enfin, essuya ses yeux lassés, et nous rentrâmes. Ma mère était fatiguée et très faible ; – la tante Marguerite nous amena près de son lit pour lui dire bonsoir, et ma mère retint longtemps chacun de nous penché sur son oreiller. Depuis quelques jours, cet adieu était plus tendre de sa part, et nous aussi, nous avions pris l'habitude de la caresser plus longtemps, cette mère si bonne et si saintement aimée.

Mon père se retira, pendant que, sous prétexte d'insomnie, la tante Marguerite s'installait dans un fauteuil pour lire, et je fus bientôt seul avec mes pensées.

Ayant toujours trouvé la bibliothèque de mon père à ma disposition, je n'avais jamais eu de curiosité malsaine pour les fruits défendus, et le mot volupté ne m'offrait pas de sens défini. Pures comme celles d'un enfant, mes idées n'avaient jamais effleuré le plaisir ni le vice, et le premier baiser pris sur les lèvres de Marguerite m'ouvrait les portes d'un monde enchanté. La tête en feu, le cœur palpitant, je me jetai sur mon lit, et je m'endormis bientôt de ce délicieux sommeil de la seizième année.

Je rêvai que Marguerite et moi nous étions encore assis sur le banc de l'avenue. Nous causions, elle regardait en souriant, j'allais la prendre dans mes bras, lorsqu'elle mit elle-même la main sur mon épaule ; la sensation fut si forte que je m'éveillai. Elle était là, vêtue de blanc, assise sur mon lit.

– Étienne, Étienne, me dit-elle à voix basse, du courage ; et debout !

Bouleversé, sans rien comprendre, je me mis sur mon séant.

– Levez-vous et habillez-vous, continua-t-elle, et venez me rejoindre dans la pièce voisine.

En un clin d'œil je fus prêt ; elle m'attendait à la porte de ma chambre et saisit ma main dans l'obscurité.

– Avez-vous beaucoup de courage ? me dit-elle.

– Il est arrivé un malheur ? répondis-je en tremblant.

– Oui.

– À qui ?

– À nous tous, à votre père surtout ; il faut le consoler.

– Qu'y a-t-il ?

– Votre mère...

– Elle va plus mal ?

Nous étions arrivés à la porte de la chambre de ma mère, elle l'ouvrit : je vis le visage bien-aimé, pâle et d'une rigidité implacable ; mon père, à genoux près du lit, s'arrachait les cheveux, à demi fou de douleur.

– Marie, Marie ! criait-il, seul, seul au monde !

– Ton serment, me chuchota ma tante, ton serment, Étienne ! ta mère l'entendra.

Je me jetai à genoux, les bras autour du cou de mon père.

– Père, tu as des enfants, m'écriai-je, je ne te quitterai pas.

Mon père me regardait sans rien comprendre.

– Jamais, jamais, père, répétai-je, oubliant ma douleur devant la sienne. Je serai légiste comme toi, avec toi, je resterai près de toi, je te le jure !

– Ah ! comme tu lui ressembles ! s'écria-t-il. Et me serrant dans ses bras, sur le lit tiède encore de la morte, il inclina sa tête avec la mienne et pleura amèrement. La crise était passée, sa raison était sauve.

Voilà comment, la plus amère des douleurs succédant sans transition à la plus pure des joies, je devins homme en une nuit. Ma tante Marguerite resta près de nous, toujours, – ainsi l'avait voulu notre chère envolée ; mais, brisé par la souffrance, mûri par la réflexion et les études sérieuses qu'exigeait mon nouvel avenir, je ne vis plus en elle que le bon ange de cette nuit d'horreur et d'angoisse qu'elle avait prévue, et dont elle avait tâché de nous adoucir l'amertume.

Chère tante Marguerite ! Elle non plus n'a pas été heureuse ; mais ce n'est pas notre faute, car dans la maison où elle s'est efforcée de remplacer la tendresse et l'abnégation de notre mère, jamais une sœur n'eût été plus sincèrement aimée, plus respectueusement honorée.

Lina

C'était une danseuse, et c'était ma sœur. Je ne prétends pas que toutes les danseuses soient capables de vivre et de mourir comme elle, – pas plus que toutes les femmes du monde, – mais j'ai résolu d'écrire son histoire avec le peu d'orthographe que je possède, afin de la faire lire à ses enfants, quand ils seront assez grands pour la comprendre.

Elle s'appelait Magdalina, et nous la nommions Lina. Elle était blonde et mignonne, les yeux bleu foncé ; la bouche était grande, mais garnie de si jolies dents ! Elle avait dix-neuf ans, et ses débuts promettaient un bel avenir ; elle s'était fait aimer de tout le monde au théâtre ; les machinistes mêmes lui souriaient quand elle glissait à travers les décors ; c'était une enfant gâtée du public et de ses camarades, et je l'avais conservée pure, en dépit de toutes les galanteries dont elle était entourée. – Pure ? oui ; non par mes conseils, cela ne s'écoute jamais, mais par l'exemple des malheurs qui suivent une faute. En grandissant, elle avait compris, entendu dire peut-être, pourquoi je vivais seule et triste, – trop fière pour tomber plus bas, trop humiliée pour payer d'audace, – et je l'avais vue repousser gentiment, sans rudesse, toutes les offres malsonnantes ; mais l'amour n'avait pas encore passé par là, et je me demandais avec effroi ce qui s'agiterait dans ce jeune cœur le jour où la passion s'y éveillerait.

Ce jour vint : un soir, en rentrant d'une représentation où elle avait été bien fêtée, Lina en robe de nuit vint s'asseoir à mes pieds dans le salon ; je vis qu'elle avait quelque chose à me dire ; j'appréhendais sans savoir quoi, mais je résolus de la laisser parler.

– As-tu vu le comte Jacques ? me dit-elle après un long silence.

Le comte Jacques était un habitué des fauteuils d'orchestre ; il avait vingt-deux ans, un beau visage, une élégante et fière tournure, et une grande fortune déjà considérablement ébréchée par des folies chevaleresques dont son honneur, au moins, n'avait jamais eu à souffrir. Je compris que Lina m'échappait, et pour toute réponse je fis un signe de tête.

– Il m'a demandé la permission de se présenter chez nous,

continua Lina. Après un silence elle ajouta : J'ai dit oui. Un second silence suivit : – Je l'aime, fit-elle avec une singulière douceur dans la voix.

– As-tu bien réfléchi ? lui dis-je tristement.

– Oui, continua-t-elle en posant sa tête sur mes genoux. J'ai beaucoup réfléchi, et voici ce que je me suis dit : Épouser un de mes camarades du théâtre ou de l'orchestre – non : j'ai trop vu de telles unions pour ne pas les apprécier à leur valeur ; d'ailleurs je ne puis aimer ces gens, que je vois avec tous leurs défauts, leurs vices, leurs bonnes grosses qualités qui les rendent charmants ou insupportables ; me marier hors du théâtre, être déclassée, humiliée... non encore. Mais aimer de toute mon âme, aimer... le temps que Dieu voudra, et puis...

– Et puis ? répétai-je.

– Et puis mourir, dit-elle doucement, en souriant ; mourir, – ou vivre avec le souvenir de quelques belles années de bonheur et de jeunesse, et oublier que j'ai un cœur.

Je secouai la tête. Je savais bien, moi, qu'on ne vit pas ainsi, à moins d'avoir été comme moi, froissée, brisée dans ses fibres les plus intimes, et d'ailleurs je n'étais pas jolie... mais elle, charmante et adorée, pourrait-elle ?...

– Avant de gâter la tienne, lui dis-je, regarde ma vie.

– Je l'aime, répondit-elle en se blottissant contre moi.

Je tentai un dernier effort.

– Sais-tu s'il mérite qu'on l'aime ? lui dis-je.

– Ah ! voilà ce qu'il faut savoir, fit-elle lentement ; je verrai bien : s'il parle de présents, tout sera fini, je ne le reverrai jamais.

Elle me dit bonsoir et s'en alla.

Restée seule dans le salon avec le feu qui s'éteignait, je pleurai longtemps sur elle et sur moi. Vingt fois je fus sur le point d'aller lui parler, de lui raconter l'histoire de mon désespoir, de ma vieillesse anticipée, – je n'ai que huit ans de plus qu'elle, et je parais sa mère, tout cela pour une faute vulgaire, – je me retins. Jamais l'expérience d'autrui n'a corrigé personne, me dis-je tristement ; elle se cachera de moi, voilà tout ; et qui suis-je pour lui faire de la morale ? En ai-je le droit, moi, coupable, déchue ?

Lasse de pleurer, je me levai, et sur la pointe des pieds, j'entrai dans sa chambre. Elle dormait d'un sommeil d'enfant, les bras croisés sur sa poitrine, dans ses longues tresses blondes... – Combien de nuits dormira-t-elle encore ainsi ? me dis-je en baisant ses cheveux de soie. Je me retirai le cœur gros. – Il y a encore une chance, pensai-je en me couchant, c'est qu'il la blesse en lui offrant ses richesses ; elle le repousserait sans pitié.

Et je m'endormis en priant Dieu de permettre que le comte Jacques fût un homme comme tous les autres.

Le ciel n'exauça pas ma prière, – je l'ai trop fatigué de mes vœux autrefois ; – le comte Jacques n'était pas comme les autres. Je ne sais pas ce qu'il pensait de Lina avant d'entrer chez elle ; mais quand il l'eut vue dans sa chaste dignité, – la dignité d'une danseuse, cela va faire rire le monde, – il se laissa gagner au parfum d'honnêteté qu'exhalait la bonne créature, il ne demanda pas à être l'amant de la danseuse, il devint l'amoureux de la jeune fille, et c'est ce qui perdit Lina.

Il venait tous les jours. – Je ne les dérangeais jamais : la maison n'était-elle pas à ma sœur ? – Il causait, il s'asseyait à ses pieds, et baisait ses mains fluettes, et quand elle lui montrait du doigt l'heure à la pendule, il s'en allait soumis... On se serait bien moqué de lui au dehors, si l'on avait su que l'amant de Lina n'avait pas encore effleuré ses lèvres !

Un jour, vers l'heure du dîner, Lina m'appela. – Julie, me dit-elle, pourquoi ne viens-tu jamais au salon quand le comte y est ? Veux-tu dire qu'on mette son couvert ? Il dîne avec nous.

J'obéis tristement, Lina ne s'appartenait plus.

J'en veux cruellement au comte Jacques, et pourtant je ne puis prononcer un mot de blâme contre lui ; il s'est toujours comporté irréprochablement, selon les lois du meilleur monde. Il ne donna rien à Lina, – il savait qu'un tel amour ne se paie pas, – le portrait du comte seulement dans un médaillon tout uni, qu'elle ne cessa de porter jusqu'à la fin ; mais ce modeste petit logis, qu'il ne demanda pas de lui faire quitter, se remplit insensiblement des recherches du luxe le plus exquis ; lui seul y pénétrait, il en fit un paradis.

Un an s'écoula. Lina, heureuse, était cent fois plus jolie : son charmant naturel en faisait la plus aimable compagne : au théâtre, on l'avait taquinée quelque temps. – Eh bien, oui ! je l'aime, avait-elle répondu, et après ? On avait fini par n'y plus penser. Non que le comte Jacques n'eût été le point de mire de toutes les dames du corps de ballet ; mais à force de voir tomber dans l'eau les plus fortes agaceries, ces dames avaient déclaré le comte « fini ».

Depuis quelque temps Lina pâlissait, elle était vite essoufflée ; elle demanda et obtint un congé de trois semaines. Quelques jours avant l'expiration de ce congé, je la trouvai debout devant sa psyché, qui s'examinait attentivement ; elle me parut changée. En m'entendant, elle se retourna joyeusement.

– Julie, dit-elle, si tu savais quel bonheur ! Jacques est si content ! Ce sera un fils !

Elle était si heureuse, si triomphante, que je n'eus pas le courage de souffler sur sa joie avec les réalités de la vie. Elle ne retourna pas au théâtre, le comte ne le permit pas ; jamais jeune femme ne fut plus soignée, plus gâtée. Elle avait eu raison, ce fut un fils que le comte reçut dans ses bras en pleurant de joie.

Lina fut bientôt sur pied ; le vieux médecin du comte, qui l'avait vu naître et qui venait chez nous depuis deux ans, lui permit de reprendre la danse, car elle tenait à gagner sa vie, comme elle disait. Jacques pouvait lui donner le superflu ; mais elle ne voulait devoir le nécessaire qu'à elle-même.

Une nourrice fut engagée pour le bébé. Le comte voulait un appartement plus vaste ; Lina tenait à ne pas quitter le logis où elle avait aimé Jacques. Cédant à ce caprice, celui-ci fit déménager à prix d'or les locataires qui habitaient l'autre moitié de notre étage ; il orna cet appartement, fit ouvrir en secret une porte de communication, et un soir, en revenant du théâtre, Lina trouva son logement agrandi de moitié. Elle voulait gronder, mais Jacques étouffa ses paroles sous un baiser.

– J'ai gardé notre chambre, lui dit-il, mais il me fallait bien un cabinet de toilette.

– Tu resteras donc ici ? répondit-elle, saisie de joie.

– Toujours, ma bien-aimée.

Effectivement, le comte Jacques ne nous quitta plus ; il avait conservé son logis de garçon, où il recevait ses amis et son courrier ; mais il dînait presque toujours avec nous et revenait tous les soirs.

Jamais je n'avais vu Lina si heureuse, et je me disais parfois qu'une bonne fée devait avoir présidé à sa naissance, pour qu'elle eût toutes les joies, là où j'avais eu tant de peines.

Deux ans s'écoulèrent ainsi sans nuages, au bout desquels Lina se trouva enceinte une seconde fois. Les six premiers mois, tout alla bien ; puis tout à coup elle devint faible et nerveuse, et le comte Jacques, de son côté, se montra fort préoccupé de son état maladif. Insensiblement le logis s'assombrissait : Jacques fut forcé de faire un petit voyage auprès de ses parents qui habitaient leurs terres ; il devait rester huit jours absent, il en fut quinze, et malgré ses lettres quotidiennes, je voyais Lina devenir de plus en plus sérieuse. Un jour, je pris à part le vieux bon médecin qui la soignait avec tant de dévouement.

– Qu'a-t-elle ? lui dis-je.

– Sa grossesse la fatigue plus que de raison, répondit-il ; je n'en saisis pas clairement le motif ; c'est probablement nerveux, mais Jacques devrait revenir. Je lui écrirai.

Jacques revint aussitôt, et Lina sembla reprendre goût à la vie ; – puis vint le moment redoutable. La crise fut longue, très longue.

– Il y a de l'atonie, disait le docteur ; une nature si vigoureuse ! que peut-elle avoir ?

Enfin, après de longues heures d'angoisses, j'entendis le cri du nouveau-né !

– C'est une fille, dit le docteur.

– Une petite Pauline, dit Jacques en baisant les mains inertes de ma sœur.

– Pauvre petite fille ! murmura Lina d'une voix si faible qu'on eût dit un souffle.

– Ce n'est pas tout ça, fit le docteur avec autorité, assez de faiblesse ; je veux qu'on se remette, et vite, entendez-vous, madame ?

– J'obéirai, docteur, répondit Lina en pressant faiblement la main de Jacques, qu'elle n'avait pas quittée durant les dernières heures.

Elle se remit en effet, – plus vite que je ne l'aurais espéré. Jacques était toujours aux petits soins près d'elle ; cependant il ne pouvait déguiser une certaine préoccupation, une certaine tristesse qui ne m'échappait pas ; je sentais venir un malheur, – mais pouvais-je l'interroger ?

Un jour, Lina était sortie en voiture, – c'était la seconde fois depuis ses couches ; Jacques vint me chercher dans la chambre où je regardais la nourrice habiller la dernière venue.

– Petite sœur, me dit-il d'un air soucieux, le docteur nous attend au salon, venez un peu, j'ai à vous parler.

Je me sentis frappée au cœur, mais je le suivis sans mot dire au salon, où le docteur nous attendait en effet d'un air fort grave.

– Voici ce que c'est, dit Jacques d'une voix embarrassée ; je suis ruiné ou à peu près, j'ai vingt-sept ans, mon père veut que je me marie ; il a arrangé cela avec une famille amie, et le mariage est conclu pour le mois prochain.

J'étais stupéfaite ; l'épouvante me fermait la bouche. Jacques continua :

– Il y a quatre ou cinq mois qu'il en est question ; le docteur sait que j'ai refusé énergiquement. J'aime Lina, et je ne voulais pas la quitter : j'ai lutté avec mon père jusqu'à ce qu'il me menaçât de sa malédiction ; ma mère en est tombée malade de chagrin. – C'est alors que je suis allé la voir ; – le docteur sait tout.

Le docteur acquiesça d'un signe de tête.

– Que fallait-il faire ? continua Jacques ; j'aurais été heureux d'épouser Lina, mais jamais mon père ni ma mère n'y consentiront ; il faut que je leur obéisse, non par goût, mais par devoir filial. Comprenez-vous, Julie ?

– Et Lina ? fis-je d'une voix brève.

– Le docteur dit qu'elle est en état de supporter la commotion.

– Du moins, elle en a l'air ; je n'ai rien dit de plus, fit le docteur sans bouger de sa place.

– Il faut que je parte demain, ajouta Jacques. Les longues émotions ne valent rien, plutôt trancher d'un coup ; d'ailleurs, le docteur sera là. J'y suis forcé, vous dis-je, Julie ; vous savez que je ne suis pas un homme à paroles inutiles, ni à faux serments. – M'en voulez-vous beaucoup ? ajouta-t-il en me tendant la main.

– Je n'en sais rien, répondis-je sans la prendre. À votre place, je sais que je n'aurais pas abandonné Lina.

J'ignore ce qu'il allait dire. Lina entra toute frileuse, – c'était aux premiers jours de l'hiver, – et fit servir le dîner. Ce repas fut triste ; Lina n'avait pas l'air de s'en apercevoir : elle se disait fatiguée ; nous passâmes au salon. Elle s'étendit sur sa chaise longue, et Jacques s'assit près d'elle, comme d'usage. Le docteur et moi nous avions engagé une partie d'échecs, par contenance, car nous poussions les pièces au hasard, sans savoir ce que nous faisions. Enfin le docteur se leva. – Je vais voir les enfants, dit-il ; – et il sortit. Jacques se laissa tout doucement glisser à genoux sur le tapis, la main de Lina dans les siennes, en la regardant avec une douloureuse tendresse. Je vis bien qu'il l'aimait toujours et qu'il souffrait jusqu'au plus profond de son être.

– Lina, lui dit-il doucement, tu sais que j'ai un père et une mère ? Lina fit un signe de tête.

– Tu sais que leur idée est de me voir continuer la famille ?

Elle répondit de même.

– Lina, mon amour, – il fondit en larmes, – on nous sépare...

– Tu te maries ? lui dit-elle doucement.

Je sentais tout son sang lui refluer au cœur ; elle pâlissait d'instant en instant. Il ne pouvait pas répondre.

– Je le savais, continua-t-elle à voix basse ; ne sois pas si triste...

– Tu le savais ? fit Jacques effrayé, en la regardant, – tu le savais, et tu ne m'en as rien dit ?

– À quoi bon te faire de la peine ! dit-elle avec la même douceur. Tu as fait tout ce que tu devais faire ; il ne te reste plus qu'à obéir. Il y a quatre mois que je le sais ; tu as perdu ici la dernière lettre de ta mère avant ton voyage, avant sa maladie, tu sais ? Je l'ai lue.

– Pauvre Lina, comme tu as souffert ! disait-il en pleurant sur les mains glacées de ma sœur ; je t'aime, je te jure que je t'aime !...

– Je le sais, répondit-elle en se penchant sur lui pour l'embrasser ; je ne t'en veux pas ; j'ai été très heureuse ; je savais que cela devait arriver. Malgré tout, je suis contente de t'avoir aimé.

Calmé par sa douceur, Jacques reprit un peu de courage. – J'ai pensé aux enfants, dit-il en tirant deux papiers de sa poche, – et à toi, ajouta-t-il, en glissant un troisième papier sous les autres.

Lina regarda les deux premiers. C'était pour chacun des enfants une donation de cent mille francs.

– J'aurais voulu faire davantage, disait Jacques honteux, c'est tout ce qui me reste ; je n'ai besoin de rien, je serai riche.

Elle prit le troisième papier d'une main négligente et le jeta au feu sans l'avoir ouvert.

– Je n'ai pas le droit de refuser pour les enfants ; mais pour moi, je n'ai besoin de rien, dit-elle en tendant la main au comte.

– Mais de quoi vivras-tu ? la rente des enfants ne suffira pas pour quatre !

– Du théâtre, répondit-elle avec un étrange sourire. Quand pars-tu ?

– Demain.

– Tu restes ce soir ?

– Oui, certainement.

– Et cette nuit ? fit-elle plus bas, en le regardant avec une lueur singulière dans ses yeux bleus.

– Oui.

– Merci, je t'aime, lui glissa-t-elle à l'oreille. Elle se leva lentement, m'envoya un baiser, passa un bras au cou de Jacques et se dirigea vers sa chambre. La porte se referma sur eux.

Le docteur rentra. – Eh bien, comment l'a-t-elle pris ? A-t-elle beaucoup pleuré ?

– Pas une larme.

Il hocha la tête. – Tant pis, dit-il.

– Elle le savait quand il est parti il y a quatre mois, ajoutai-je.

– Je m'en étais douté, répondit-il. C'est très sérieux ; il faudra voir ; je reviendrai demain.

Je ne dormis guère. Le lendemain à huit heures, à la clarté grisâtre d'une pluvieuse matinée d'hiver, je rencontrai le comte Jacques en costume de voyage dans la salle à manger.

– Comment va-t-elle ? lui dis-je toute tremblante.

– Elle est calme, répondit-il sans me regarder. Il me donna une adresse pour lui envoyer de fréquentes nouvelles de ces êtres si chers à son cœur la veille encore et qui demain ne seraient plus rien pour lui ; il embrassa son fils en train de barboter dans son lait du matin, sa fille endormie au sein de la nourrice, me tordit la main d'une dernière étreinte en disant : Veillez sur elle, – et partit.

Il n'était pas méchant, cet homme, et la société qui nous l'arrachait n'avait pas tort non plus. Qui donc avait tort dans cet épouvantable sacrifice ? Était-ce la victime ? Mais ces choses-là sont au-dessus de mon jugement.

Quand la porte fut fermée sur lui, j'entrai doucement dans la chambre de ma sœur. Elle était calme en effet, et pleurait silencieusement, la face cachée dans l'autre oreiller, celui où la tête du comte Jacques avait laissé son empreinte. Je me penchai sur elle : le parfum qu'il portait à ses cheveux s'était attaché au creux de cet oreiller. – C'est tout ce qui restait à Lina de son amant envolé !

– Ma sœur chérie, lui dis-je tout bas, en l'embrassant.

– C'est toi, Julie ? répondit-elle ; dis qu'on me laisse dormir, je suis un peu souffrante ; je ne me lèverai pas aujourd'hui.

Elle se détourna, rapprocha d'elle l'oreiller de Jacques et plongea son visage dans le creux parfumé. Je refermai sa porte, et je me verrouillai pour pleurer en paix.

Elle ne se leva plus. Le docteur, que j'interrogeais tous les jours avec une impatience fiévreuse, me répondait : Anémie. – Anémie si l'on veut ; mais quand les forces de la vie morale vous abandonnent, où le sang reprendrait-il sa richesse ?

Elle vécut encore quatre semaines, avec cet oreiller près d'elle, qu'elle ne se laissa pas enlever, et le portrait de Jacques dans le creux de sa main.

– Et tes enfants, Lina ? lui dis-je un jour.

– Tu les aimeras bien, répondit-elle.

Quelques jours avant la fin, elle me fit asseoir près de son lit.

– Écoute, me dit-elle, il faut que tu lui pardonnes. Tu lui diras que j'ai été heureuse et que je le remercie. Qu'il aime bien les enfants, seulement. Dis-lui que j'ai été très heureuse, n'est-ce pas ? Du premier jour j'ai su que cela devait arriver, tu t'en souviens ?

Hélas ! si je m'en souvenais ! Cinq ans, et la mort au bout de son bonheur ! – Après tout, elle avait peut-être eu raison...

Un soir, elle s'endormit sur l'oreiller de Jacques et ne se réveilla plus.

Six mois après, lui, il arriva, vieilli, désolé, bourrelé de remords. J'avais eu envie de le torturer, je n'en eus pas le courage, et je lui répétai le message de Lina.

– Je l'ai tuée, me dit-il, et ma femme a un caractère infernal ; nous nous détestons, je serai malheureux toute ma vie.

Il adore ses enfants, dont sa femme est jalouse, mais il ne s'en soucie guère et ne désire pas d'héritier. – Moi, j'élève mes deux orphelins. Pourvu que je vive assez longtemps pour épargner à Lina le sort de sa mère ! J'aurai du courage, cette fois ! Et puis elle a un père pour la protéger... Qui sait ? Lina a peut-être été plus heureuse que si elle eût vécu comme tout le monde.

Jaloux

Le diable emporte les gens qui vous mettent martel en tête ! me disais-je en revenant à pied de la ville voisine à travers les blés jaunissants sur lesquels le soleil jetait une large nappe d'or rouge : il fait un temps magnifique, je rentre chez moi ; ne devrais-je pas être joyeux et entendre toutes les douces chansons du foyer chanter dans mon cœur ? Au lieu de cette bonne musique, c'est la voix aigre de la tante Caroline qui me tinte aux oreilles : « Mon neveu, prenez garde à votre femme, vous vous apercevrez trop tard que j'avais raison de vous prévenir. »

Il faut croire que l'expression de mon visage n'avait pas été précisément agréable, car, en me disant précipitamment adieu, elle avait refermé sur moi la lourde porte au marteau grimaçant, moins déplaisant toutefois que sa méchante figure.

Prendre garde à ma femme ! Et pourquoi ? Je haussai les épaules de pitié, j'adressai mentalement à ma tante Caroline une apostrophe qui n'avait rien de commun avec une bénédiction, et je pris le chemin de mon petit manoir enfoui dans un bouquet de saules, – où m'attendait ma chère petite femme.

Ma chère petite femme... elle m'attendait en effet. Nous étions convenus depuis huit jours d'aller faire ensemble cette ennuyeuse tournée de visites, afin d'avoir de temps en temps l'occasion d'échanger un baiser dans un escalier obscur, au risque de chiffonner le chapeau d'Amélie. Et puis, tout à coup, le matin en revenant déjeuner, je la trouve en négligé blanc, tout semé de rubans bleus ! – C'était très joli, mais ce n'était pas précisément une toilette de visites, si bien que je lui proposai de rester au logis tout le jour. – « Non, mon chéri, me dit-elle. Pour arranger les choses à l'amiable, je vais rester, et tu iras tout seul voir l'oncle Auguste, la cousine Ursule et la tante Caroline. »

Tout seul ! C'était dur. Pourquoi ? La réponse fut courte et péremptoire :

– Je veux rester ici.

Je ne pus obtenir autre chose. Force fut de m'habiller et d'aller faire ma corvée tout seul. Pas de serrements de mains furtifs derrière les portes, pour varier la monotonie de cette longue journée. Et pour comble de bénédiction, les derniers mots de la tante Caroline grinçant à mon tympan : – Prenez garde à votre femme. Le conseil était absurde, mais pourquoi Amélie n'avait-elle pas voulu m'accompagner ? En me posant cette question, je distribuais à droite et à gauche de grands coups de canne sur les blés qui bordaient le chemin. Il faisait magnifique en effet ; – je vous demande un peu pourquoi cela me mettait de mauvaise humeur !

– Quel dommage qu'il n'ait pas plu à verse ! me disais-je tout le long de la route ; ma récolte eût peut-être été perdue, mais je ne serais pas allé en ville, et cet oiseau de mauvais augure, la tante Caroline... – Au diable la tante Caroline ! m'écriai-je, tout haut cette fois.

Un frais éclat de rire me répondit dans le bois. Je regardai à droite, et j'aperçus ma petite femme, toujours en négligé blanc, mais couronnée de bluets, qui m'attendait assise au détour de la route.

– Que t'a-t-elle fait, cette terrible tante Caroline ? me dit-elle en se suspendant à mon bras et en me tendant ses lèvres souriantes. Elle n'était pas bien grande, ma petite femme ; il fallait l'aider à se dresser, et baisser un peu la tête pour l'embrasser... Je n'eus pas plutôt passé mon bras autour de sa taille souple qu'un revirement d'idées se fit en moi, et je répondis de tout mon cœur :

– C'est une vieille folle.

– Amen, dit ma femme. Elle t'a fait faire un mauvais dîner, bien sûr ? Je t'ai gardé une aile de poulet et des fraises avec de la crème ; nous allons souper. Que dit-on à sa femme ?

– Merci, ma petite ménagère, répondis-je en la soulevant dans mes bras, blanche et moelleuse comme une plume de cygne.

Pendant que nous soupions en tête-à-tête, – elle avait renvoyé la bonne, – un doigt de vieux bordeaux clair comme un rubis dans nos verres et de la glace dans une large coupe de cristal, je me trouvais si bien ! L'idée me vint naturellement qu'il fallait être archifou pour être allé à la ville sous ce soleil et par cette poussière.

– Pourquoi m'as-tu expédié ce matin ? dis-je en riant à Amélie.

– Il fallait bien se débarrasser de ces vieilles visites oubliées.

– Mais alors, pourquoi n'es-tu pas venue avec moi ?

– Ah ! voilà ! fit-elle avec un léger nuage sur son frais minois, je n'en avais pas envie.

Elle me dit cela d'une manière si concluante qu'évidemment il n'y avait pas à reprendre la question en sous-œuvre. Je jetai ma serviette et je me levai.

– Oh ! le vilain désordre ! dit-elle en ramassant la serviette et en la roulant soigneusement. Je la regardai, ses yeux baissés suivaient l'opération de ses doigts agiles, elle avait l'air calme et reposé d'une madone du Pérugin ; – j'eus honte... de quoi ? Je n'en sais rien, toujours est-il que je me sentis honteux, et, passant le bras autour du cou de ma femme, je l'entraînai vers le balcon. La lune se levait derrière le grand bois, on ne la voyait pas encore, mais ses rayons traversaient la clairière en face de nous et glissaient sur le ruisseau comme des filets d'argent ; un cri d'oiseau se fit entendre dans le lointain. – Je regardai Amélie, – ses yeux étaient tournés vers moi. – Je t'aime, dit-elle en se blottissant contre moi comme un oiseau frileux. Il y a un an, nous n'étions pas encore mariés, t'en souviens-tu ?

Si je m'en souvenais ! La route de ma Saulaie à la ville ne me paraissait pas longue dans ce temps-là ! Il n'y avait pas un épi de blé, pas une fleur du chemin à laquelle je n'eusse crié : Je l'aime ! en revenant, le cœur débordant d'ivresse, à ce logis où je l'avais amenée un soir d'été, palpitante et pleine de confiance, ayant dit oui pour la vie à l'homme qu'elle aimait depuis deux ans..... Et moi ! quand l'avais-je aimée ? Je n'en savais rien ; il me semblait ne m'être jamais endormi ni réveillé sans son nom sur les lèvres et son image dans les yeux.

– Je t'aime, lui répondis-je. La lune nous enveloppa soudain d'une clarté éblouissante.

– Faust et Marguerite, dit Amélie en riant. Heureusement, Méphislophélès est en congé illimité. Allons, viens, Faust, tu vas t'enrhumer.

Pourquoi cette plaisanterie me fit-elle un effet désagréable ? Mais Amélie ouvrait la porte de notre chambre ; je ne vis plus qu'elle.

Le lendemain matin, quand je m'approchai de la fenêtre, le ciel était couvert, un rayon jaune se glissait de temps à autre entre les nuages.

– Signe de pluie, dis-je à Amélie qui se frottait paresseusement les yeux.

– Oh ! mais non, s'écria-t-elle, encore à moitié endormie, je ne veux pas qu'il pleuve ! Il faut que j'aille...

Elle s'interrompit brusquement et sourit.

– Où faut-il que tu ailles, ma petite femme ? lui demandai-je.

– Cela ne vous regarde pas, monsieur mon mari, répondit-elle avec une petite moue adorable.

– Mais si je veux le savoir ?

– Un mari ne doit avoir d'autre volonté que celle de sa femme, et comme je ne veux pas que tu le saches, tu comprends...

– Je comprends, fis-je d'un air enchanté. – J'étais furieux.

Ma mauvaise humeur passa avec le rayon jaune, noyé dans une petite pluie fine, aiguë, qui rayait perpendiculairement le paysage. Il n'y avait pas à mettre les pieds dehors ce jour-là !

– Qu'il fait donc mauvais ! dis-je en tambourinant avec satisfaction sur les vitres.

– Cela t'amuse ! fit Amélie qui n'avait pas l'air de partager mes impressions.

– Mais oui, ma chérie ! Quoi de plus doux que de passer la journée ensemble, enfermés dans cet heureux petit paradis ? Tu me feras de la musique, tu me joueras cet adagio de Beethoven, tu sais ?

Amélie me regarda tendrement et vint poser sa tête sur mon épaule. Cet adagio, elle me l'avait joué le jour de ma demande en mariage, c'était pour nous un souvenir plein de félicités indicibles. Ses yeux limpides regardaient jusqu'au fond de mon âme ; – à mon tour, j'y plongeai mon regard, et j'y trouvai cette entière confiance, cet abandon complet qui m'avaient rendu si heureux, qui me promettaient une longue vie de bonheur.

– Et tu ne sortiras pas, mon cher petit despote, lui dis-je en l'embrassant. Elle me rendit mon baiser, puis une étincelle pétilla dans son regard, – malice ou gaieté ? Et nous allâmes déjeuner.

La table desservie, Amélie regarda mélancoliquement le paysage : les cytises alourdis s'inclinaient jusqu'à terre, le gazon était noyé, de larges nappes d'eau marquaient la place des chemins... nous étions revenus aux beaux jours du déluge.

– Veux-tu sortir en bateau ? dis-je à ma femme, autrement je ne vois pas...

– Tu crois ? fit-elle avec un accent railleur. Allons, viens que je te joue ton adagio.

Une heure délicieuse se passa à faire de la musique, puis je me rappelai que cinq ou six lettres d'affaires gisaient là-haut sur mon bureau. À la campagne on n'écrit guère que quand il pleut ; malheur aux gens pressés, quand la chaleur et le ciel bleu vous appellent sous la voûte de la forêt ! Ma femme, fort affairée dans la cuisine, surveillait certain gâteau dont j'étais friand et que Monique manquait régulièrement. Elle en a au moins pour une heure, me dis-je, et je montai mettre un terme aux malédictions probables de mes correspondants.

Ce n'est pas une heure, mais deux, que me prirent ces ennuyeux chiffons de papier ; quand je redescendis, ma femme brodait près de la fenêtre de la salle à manger. Un rose vif teintait ses joues, deux ou trois gouttes d'eau scintillaient dans ses bandeaux ébouriffés, – elle était adorable ainsi, mais j'avoue que je n'y pensai guère.

Elle est sortie, – fut ma première idée ; – voyons si elle me le dira, fut la seconde.

Pourquoi ne me l'aurait-elle pas dit ? Je n'avais qu'à le lui demander. Je n'osai pas.

– Il pleut toujours ? dis-je bêtement.

La pluie avait doublé de violence et frappait les vitres avec rage.

– Tu vois ! dit Amélie en souriant. As-tu envie de sortir ?

– Non ; et toi ?

– Non certes, fit-elle avec un joyeux éclat de rire. La pensée me vint qu'elle avait peut-être simplement ouvert la fenêtre pour prendre l'air, et je me tançai vertement pour les idées baroques qui me parcouraient la cervelle depuis la veille au soir.

– J'ai oublié mon panier dans le salon, me dit Amélie ; mon bon chéri, veux-tu aller le chercher ?

Pour aller dans le salon, il fallait traverser l'antichambre, j'ouvris la porte, – l'empreinte des pieds mignons de ma femme allait du perron à la cuisine, marquée par des plaques humides, et par la porte entrouverte il me sembla voir le profil de son waterproof, pendu devant le feu.

Elle est décidément sortie, me dis-je. Quel intérêt peut-elle avoir à me le cacher ? Pendant que je retournais cette idée dans mon esprit, j'avais mis la main sur le panier d'Amélie ; la vue des objets qui le remplissaient changea le cours de mes pensées. C'étaient de petits morceaux de flanelle et d'indienne de toutes les couleurs, jaquettes et petits bonnets...

– Pendant que nous n'avons pas d'enfants, m'avait expliqué ma femme, laisse-moi travailler pour les pauvres petits de la commune ; cela nous portera bonheur, et, plus tard, qui sait si j'en aurai le temps ?

Elle était sortie certainement, – mais pour une œuvre de charité. Comment n'y avais-je pas pensé plus tôt ? Elle se cachait pour bien faire... Mon cœur déborda de joie et d'orgueil ; en lui rendant son panier, je baisai la main qu'elle avançait pour le recevoir.

– Cher Ferdinand, fit-elle tendrement, assieds-toi là et causons.

L'après-midi s'acheva comme un rêve. J'étais fier de ma femme, j'aurais voulu apprendre au monde entier qu'elle avait bravé la pluie et le vent pour faire une visite de charité, j'avais envie qu'elle sût les sentiments que m'inspirait son dévouement... Au dîner je n'y tins pas.

– Que t'ont conté tes chers pauvres, ce matin ? lui dis-je en la caressant des yeux, pendant qu'elle retournait la salade.

– Mais rien du tout, fit-elle, en posant la fourchette d'ébène sur les feuilles d'un vert tendre ; par un temps comme celui-là, à moins de mourir absolument de faim, quand on n'a guère de souliers, on ne se risque pas à traverser le bois pour venir à notre maisonnette isolée.

Je me sentis envahir par une froide stupéfaction. Amélie me passa la salade.

– Je n'ai pas faim, dis-je sèchement.

– Es-tu malade, mon ami ? fit-elle avec inquiétude.

– J'ai mal à la tête, répondis-je. Il fallait bien un prétexte. Allions-nous commencer à jouer vis-à-vis l'un de l'autre cette comédie méprisable ? Fallait-il désormais nous nourrir réciproquement de mensonges et de soupçons ? Le cœur me manqua en y songeant.

– Tu es pâle, c'est vrai, mon trésor, dit-elle en se levant et me regardant tout près, la main sur mon épaule. Tu es resté enfermé tout le jour, cela ne vaut rien pour la santé. Tu ne veux pas de dessert ? Attends, je vais te faire moi-même une tasse de bon café.

Je la laissais dire, je la laissais faire, abasourdi par tant de présence d'esprit, tant de duplicité.

Comment, j'étais là, sous ses yeux, torturé par des soupçons infâmes ; elle le voyait, puisqu'elle avait remarqué ma souffrance, d'un mot elle pouvait la faire cesser, et ce mot elle ne le disait pas ! C'est donc qu'elle ne le pouvait pas ?

– Dissimulons, me dis-je, sans cela je ne saurai rien ; elle est déjà trop adroite.

Elle était bien adroite en effet, car je ne pus rien apprendre.

Faire une question directe, – c'était facile, – mais en face d'un mensonge flagrant, saurais-je me contenir ? Je prétextai un travail important à finir ; malgré les prières d'Amélie, je montai à mon cabinet et je m'ensevelis dans les comptes de fermages. Vers dix heures, elle monta, un peu triste, un peu inquiète, et me demanda si je n'irais pas bientôt dormir.

– Dormir ? répondis-je sévèrement. Non, mes affaires ne souffrent pas de retard ; couche-toi sans m'attendre.

– Pauvre Ferdinand, dit-elle en m'embrassant au front, malade et forcé de travailler ! Tu viendras bientôt, dis ?

– Je n'en sais rien, répliquai-je ; je t'ai dit de ne pas m'attendre. Je m'étais mis, en effet, à réviser des comptes ; heureusement, le travail n'était pas urgent, car je le faisais bien mal. Au lieu des colonnes de chiffres, je voyais s'aligner les arbres de la forêt, et sous ces arbres, les pieds dans l'eau, l'eau sur la tête, Amélie marchant vite, de ce pas fermé et léger qui lui était propre... Où était-elle allée, et pourquoi ne voulait-elle pas me le dire ?

Il était une heure du matin, ma lampe allait s'éteindre. Force me fut d'aller rejoindre ma femme.

Elle dormait, la tête sur son bras, dans ses longues tresses châtain clair, assombries par la lumière incertaine de la lampe baissée à demi ; sa respiration était égale et tranquille, sa main gauche était posée sur mon oreiller, comme si elle se fût endormie en me tendant les bras ; – je sentis mon cœur se gonfler et mes yeux s'emplir de larmes. Elle était si pure dans ce sommeil enfantin !... Je m'approchai du lit avec une espèce de remords : je me sentais coupable de l'avoir outragée, même par un doute ; j'avais envie de la réveiller pour lui raconter l'histoire de cette pénible journée, lorsque j'aperçus un coin de papier qui dépassait d'un tiroir de sa toilette. Elle ne mettait jamais de papiers à cet endroit ; qu'est-ce que cela pouvait être ? J'ouvris le tiroir avec précaution, je dépliai le papier suspect, et j'y trouvai ces mots : « Madame, puisque vous vous chargez si charitablement de terminer mes souffrances, je vous attendrai à la Cormerie jeudi et vendredi. Samedi décidera de mon sort. Merci pour tant de bonté que je n'avais pas osé rêver. » Signé : M...

La Cormerie était une ferme à un quart de lieue, sous bois, de notre habitation. Jeudi, c'était hier, elle m'a envoyé à la ville ; vendredi, aujourd'hui, elle est sortie ; samedi... c'est demain !

Je tombai atterré sur la causeuse ; le bruit réveilla à demi Amélie, qui murmura faiblement mon nom. Je retins mon haleine, de peur d'attirer son attention. S'il eût fallu lui répondre, je crois que je serais devenu fou de rage ou de douleur.

Ainsi, cet ange, mon Amélie, la femme que l'année précédente j'avais amenée sous mon toit, elle acceptait des rendez-vous, bravait pour s'y rendre un temps abominable, et samedi... Que voulait-elle faire samedi ? Fuir, peut-être ?

– Ah ! qu'elle parte, me dis-je désespéré ; qu'elle quitte ce foyer où elle avait apporté la paix et la joie, où elle laissera douleur et mépris ! Qu'elle s'en aille, je resterai seul, pour pleurer toute ma vie le jour où je l'ai aimée, elle si fausse et si menteuse !

L'aube naissante me trouva sur le canapé. Amélie n'avait plus remué ; la clarté du jour, splendide cette fois, me rappela d'autres sentiments que j'avais oubliés dans le premier épanchement de mon chagrin.

– Elle, je puis la pleurer, me dis-je ; mais il y a quelqu'un qu'il faut que je tue, d'abord ; pour savoir son nom, encore un peu de patience.

La rage me donna une vie nouvelle ; je ne me souvins plus que j'avais passé la nuit debout ; je m'assis un instant au bord du lit, pour faire croire à Amélie que j'avais occupé ma place ordinaire, j'appuyai mon coude sur l'oreiller, pour y simuler l'empreinte de ma tête. – Moi aussi, pensais-je avec un sourire amer, je sais tromper et mentir, moi, avant-hier si confiant, si heureux... La tante Caroline avait raison ; elle connaissait bien la femme qui portait mon nom !

Pendant toutes ces réflexions, j'évitais de regarder Amélie : je sentais qu'à sa vue mon cœur trop plein eût débordé en sanglots. Je passai dans mon cabinet de toilette, et après avoir changé de costume, rafraîchi, un peu calmé, je pris un fusil de chasse et je sortis.

L'air était frais, tant soit peu vif ; le soleil était levé. Il pouvait être cinq heures et demie du matin. Jamais je n'ai vu plus belle journée. Les alouettes chantaient haut dans le ciel... Je ne sais pourquoi la fable de la Fontaine : *l'Alouette et ses petits, avec le Maître d'un champ*, me revint soudain à la mémoire. Cette poésie champêtre s'accrochait à moi, pour ainsi dire ; les vers me revenaient l'un après l'autre ; je voulais penser à autre chose, et je ne pouvais me débarrasser des rimes familières :

Les alouettes font leur nid
Dans les blés, quand ils sont en herbe...

La pluie de la veille brillait en larges flaques dans les chemins peu fréquentés, les petits fossés du drainage étaient pleins d'eau jusqu'au bord, de temps en temps une grenouille verte y sautait avec bruit... Ce côté de mon domaine ne me rappelait rien de douloureux ; peu à peu, mes idées noires s'engourdirent à la tiédeur du soleil levant, aux parfums des menthes sauvages qui bordaient la prairie, et une sorte de pitié s'empara de moi. – Pauvre Amélie, me dis-je, elle m'aimait. Elle a dû souffrir, lutter, pour en arriver là... Soudain, je me rappelai son sourire malicieux lorsqu'elle m'avait dit la veille : « Tu crois ? » Défi plein d'audace, dont je n'avais pas compris la portée et dont le souvenir me remplit de dégoût et d'horreur.

– Ah ! je les tuerai ! m'écriai-je. – Et je pris résolument la route de la Cormerie.

L'âpre senteur de la forêt mouillée me rendit ma sauvage énergie du matin, et j'arrivai à la ferme, décidé à tout savoir, à rencontrer mon rival, à le provoquer, à le tuer sur place, s'il refusait de se battre. J'entrai dans la cour ; les garçons de ferme étaient déjà partis pour le travail ; la fermière, sur le seuil de l'étable, trayait une vache dans un vase de cuivre aux flancs rebondis ; les canards s'ébattaient avec de grands cris de joie dans une mare, grossie par la pluie de la veille... La fermière me salua.

– Vous voilà de bon matin, monsieur ! Voulez-vous une tasse de lait chaud ?

Je refusai d'abord ; mais au bout d'un instant, mon estomac tenté par la vue du lait mousseux me rappela que la veille je n'avais dîné qu'à moitié, et qu'après tout, l'homme est mortel.

– Je le tuerai aussi bien après déjeuner, me dis-je.

– Hé bien ! fis-je tout haut à la fermière, vous avez eu des visiteurs depuis peu ?

– Des visiteurs ? Non, monsieur Ferdinand. Une femme seulement, une dame fatiguée et malade, qui s'est reposée ici ces deux jours.

Une dame ? ceci dérangeait mes idées.

– Bah ! me dis-je, cette femme est payée pour se taire ; si je la sommais de me la faire voir, sa dame malade, elle serait bien embarrassée !

J'allais demander si ma femme était venue la veille :

– Non, me dis-je, devant tout le monde, je conserverai son honneur aussi longtemps que faire se pourra. Je ne veux pas que sa honte vienne de moi.

Je remerciai la fermière, et je repris à pas lents le chemin de la maison. La dame de la Cormerie me trottait cependant par la tête, et je fis un grand détour avant de rentrer. La promenade avait un peu calmé mes passions surexcitées par une nuit d'insomnie et de tortures morales ; je me demandais de temps en temps si j'étais bien sûr de ne pas me tromper d'une façon absurde. Mais la lettre, la malheureuse lettre ! je l'avais dans la poche de mon gilet, je l'avais lue et relue vingt fois. Pas de signature : M pouvait signifier Marie aussi bien que Maurice... Mais quelle femme demanderait des rendez-vous secrets, quand il était si simple de venir trouver Amélie chez elle ?

– C'est épouvantable, me dis-je, une telle duplicité ! tant de ruses, de mensonges à cet âge... elle a vingt ans, que sera-t-elle à quarante ?

Elle me faisait horreur.

Il fallait bien rentrer chez moi, cependant, ne fût-ce que pour la confondre ; aussi bien, j'étais déjà dans le jardin. J'arrivais à pas lents, la tête baissée ; je levai les yeux, elle m'attendait sur le seuil, avec une expression sérieuse sur son joli visage ; – sérieuse, mais non craintive.

– Elle se doute de quelque chose, me dis-je ; mais évidemment elle n'a pas peur. Quelle nouvelle histoire va-t-elle inventer ?

J'essayai de me rappeler quelles anciennes histoires elle m'avait déjà inventées, quels mensonges elle m'avait faits, et, à ma grande surprise, je ne trouvai rien du tout.

– Est-elle adroite ! me dis-je ; elle s'est arrangée de manière à ce que je ne puisse rien tourner contre elle... Mais j'ai la lettre ; je la confondrai.

J'étais arrivé près d'elle... elle me tendit le front pour recevoir le baiser du matin ; machinalement, je me penchai sur elle, et je le lui donnai.

– Tu vas bien, ce matin, Ferdinand ! dit-elle. Tu as bonne mine aujourd'hui, le sommeil t'a fait du bien ! Bonne mine, le sommeil... Elle tombait bien ! Elle mentait, sans doute. Je me regardai dans la glace de la salle à manger ; elle avait raison, jamais je ne m'étais vu si vermeil ! Je maudis le lait de la fermière de m'avoir ôté l'air fatal et sombre qui convenait au rôle que j'avais à jouer dans cette tragédie domestique.

Ma femme s'était assise en face de moi ; elle trahissait par instants une légère agitation nerveuse, sa main tremblait en me passant les côtelettes... J'avais encore faim, cependant ; puisque j'avais tant fait que d'entrer dans la maison et de m'asseoir à table, autant valait déjeuner comme à l'ordinaire. D'ailleurs, par une contradiction inexplicable, la vue de ma femme, qui eût dû m'exaspérer, faisait passer dans mes veines un courant de calme et de repos... Le cœur humain est bien étrange !

– Ferdinand, dit-elle, il faut que je t'avoue quelque chose.

Je la regardai avec le sang-froid d'un juge qui examine un prévenu quelconque.

– Te souviens-tu de Marianne ? continua-t-elle en baissant les yeux.

Marianne était la femme de chambre de ma femme avant notre mariage ; fille de gens à leur aise, elle avait reçu une éducation très convenable, mais la mort de ses parents l'avait laissée sans ressource, et elle était entrée au service de mademoiselle Amélie, qui, tout en gardant parfaitement sa petite dignité, ne l'avait jamais traitée en servante. Mais Marianne avait un cœur... elle s'était laissé conter fleurette par un comédien de passage dans notre petite ville, et, un beau matin, l'avait suivi, nous laissant pour adieu une lettre désespérée, où le repentir perçait déjà, mais à côté de l'irréparable.

Ma femme en avait eu beaucoup de chagrin, elle était sincèrement attachée à cette jeune fille. Dans ma vertu de jeune mari, j'avais flétri cette escapade. N'étant pas d'accord là-dessus, nous avions cessé d'en parler. Ce nom fut un trait de lumière pour moi.

– Oui, fis-je avec empressement, je me souviens de Marianne, eh bien ?

– Eh bien, continua Amélie sans me regarder, elle est très malheureuse ; ce... cet homme est mort du typhus à Lyon, elle n'a plus rien, personne ne veut la recevoir... je voulais te demander... mais tu ne voudras pas...

– Quoi ? m'écriai-je avec une vivacité joyeuse, qui lui fit lever les yeux.

– Me permettre de la reprendre, répondit-elle tout bas ; puis elle ajouta très vite : Ferdinand, je te l'ai caché ; elle m'a écrit, il y a quinze jours. Tu n'étais pas là quand j'ai reçu sa lettre ; je n'ai pas osé t'en parler. Tu n'étais pas bien disposé pour elle. Je lui ai écrit de venir ; depuis jeudi elle est à la Cormerie. J'ai profité de ton absence en ville pour aller lui parler. J'y suis retournée hier ; elle n'avait plus de souliers, Ferdinand, elle a tout vendu pour soigner cet homme. Après tout, elle l'a aimé. Ce n'était pas son mari, je sais bien ; mais puisqu'il est mort, faut-il la laisser mourir de faim, ou pis encore ? Toi qui es si bon, si généreux, mon petit mari...

– Tout de suite, m'écriai-je, amène-la tout de suite !

– La voilà qui vient, dit Amélie, en me montrant Marianne, vieillie, fatiguée, les yeux usés par les larmes, qui montait péniblement notre perron.

Marianne pleurait, Amélie pleurait, moi... enfin, ceci ne regarde que moi. J'aurais voulu me mettre à genoux devant ma femme, j'étais inondé d'ivresse ; on m'aurait demandé de donner ma Saulaie, je crois que j'aurais signé des deux mains, seulement pour le plaisir de jouir en paix de mon bonheur.

– Ma femme, ma chère Amélie ! disais-je quand nous fûmes seuls, en couvrant ses mains de baisers.

– C'est moi qui devrais te remercier, répondit-elle ; je sais que tu as eu à vaincre pour me plaire un préjugé très tenace, et c'est toi qui as l'air de me rendre grâce !

– Oui, je te rends grâce, et à Marianne, et au monde entier, pour m'avoir appris quel trésor, quel ange de femme j'ai reçu en partage !

– Enfant ! répondit-elle en souriant ; enfin, je te retrouve ! Hier, tu m'as inquiétée ; sais-tu que tu as été très malade, sans qu'il y paraisse ? J'ai eu peur que ce ne fût un commencement de fièvre chaude...

– Ou de folie, interrompis-je en riant.

– Il n'en faudrait pas rire, continua-t-elle, en me regardant avec cette bonté compatissante qui la rendait si chère aux petits et aux infirmes ; tu ne peux pas t'imaginer combien ton visage était changé, quelle expression singulière assombrissait tes yeux ; il fallait que ta souffrance fût bien vive...

Je l'embrassai, incapable de lui répondre ou d'affronter son regard plus longtemps. – Si elle savait ce que j'ai osé supposer, pensai-je, elle en serait malheureuse toute sa vie. Elle l'ignorera toujours.

– Puisque tu es si bon, me dit Amélie à l'oreille, je te ferai une confidence : c'est que Marianne nous sera nécessaire pour bien des soins affectueux...

La tante Caroline a rendu sa vilaine âme au Seigneur ; j'ai un fils ; j'espère bien que l'âge venu, il sera moins absurde que son papa.

Le bal du gouverneur

Le prince Kamoutsine était un des plus brillants officiers de la cour, à Saint-Pétersbourg. Depuis sept ou huit ans qu'il paradait aux revues, aux réceptions, aux bals officiels, – partout où un jeune officier de la garde peut se faire remarquer à son avantage, – il n'avait obtenu que le grade de capitaine, et une renommée des plus étourdissantes en fait de mystification. Nul mieux que lui ne s'entendait à mener à bon port une de ces abominables plaisanteries que les amateurs appellent une bonne blague.

Déjà banni deux fois pour des tours un peu vifs, il avait reçu de très haut l'admonition de se tenir coi et de tâcher de se faire oublier.

Mais avec un caractère comme celui de Kamoutsine, tout valait mieux que cette consigne cruelle. Dût-il y laisser son rang, ses honneurs, sa fortune, il lui fallait mystifier quelqu'un.

Bien entendu, les nouveaux venus, les officiers de province, les hobereaux mus tout à coup du besoin de dépenser leur fortune à Pétersbourg, lui semblaient absolument indignes de son attention. Il fallait au jeune capitaine des victimes de plus haute volée.

Notre héros s'arrangea si bien, que l'empereur Nicolas, qui n'aimait pas beaucoup la plaisanterie, lui envoya un beau matin l'ordre d'avoir à passer un mois dans ses terres, – « pour lui laisser le temps de réfléchir », portait l'ordre formel.

Kamoutsine avait trois jours pour mettre ses affaires en ordre et gagner son domaine. Le lieu de son exil était à vingt-quatre heures environ de la capitale, – en chaise de poste. – Il commença par dépenser deux jours à faire ses adieux à ses amis.

On lui avait promis quatre gendarmes pour lui faire une garde d'honneur ; les antécédents du jeune prince justifiaient cette précaution en apparence injurieuse ; il avait passé un exil précédent chez un restaurateur en renom, – affublé du frac d'un sommelier, – au vu et au su de toute la garde, qui avait ri et tenu l'affaire secrète jusqu'à l'expiration de sa peine !

Kamoutsine s'en allait donc de maison en maison, recevant les félicitations ironiques des uns et les condoléances rieuses des autres.

Vers le soir du second jour, il se présenta pour prendre congé chez la comtesse Damérof, une des beautés les plus en renom de la cour.

– Vous ne restez pas à dîner ? lui dit la jolie comtesse en le voyant se lever après une conversation de dix minutes.

– Mille grâces ! Impossible ! À moins que vous n'invitiez aussi mes gendarmes.

– Vos gendarmes ? Qu'est-ce que c'est que ça, grand Dieu !

– Les gardes du corps que je tiens de la munificence impériale. Ils doivent m'attendre chez moi. Dans une heure, nous roulerons tous les cinq sur la route de Kamoutska, le domaine de mes pères. Quand je dis : nous roulerons, je m'exprime mal ; c'est : nous glisserons qu'il faut dire. Avec cette belle neige, le traînage est délicieux. Ce ne sera pas long ; je serai chez moi demain pour dîner.

– Ce pauvre prince ! fit la comtesse en riant de bon cœur. Vous n'êtes pas habile de vous faire bannir comme ça en plein carnaval. Le bal du gouverneur de la forteresse se passera donc de vous ?

– Ah ! le bal... c'est vrai, je l'avais oublié... Vous comprenez, comtesse, la grandeur de ma disgrâce... C'est donc pour demain ?

– Demain soir, à dix heures... nous danserons sans vous ! N'allez pas vous pendre, toujours, ajouta l'impitoyable railleuse.

Depuis un moment, Kamoutsine tortillait sa moustache d'un air pensif.

– Vous irez ?... demanda-t-il soudain.

– Si cela se demande ! Tout Pétersbourg y sera ! Le nouveau gouverneur essaie ses clefs... Il arrive d'Irkoutsk, vous le savez, et les fêtes qu'il donnait là-bas sont célèbres. On s'amusera à ce bal ! La famille impériale doit s'y rendre. Je serai là pour l'arrivée.

– Comtesse, dit tendrement Kamoutsine en se penchant sur le bras de son fauteuil, voulez-vous me faire l'honneur de m'accorder la première valse ?

– Vous êtes fou ? répondit la comtesse en se reculant un peu.

– Pas plus qu'à l'ordinaire. Je réitère ma demande, car vous ne m'avez pas répondu. Voulez-vous me faire l'honneur...

– Mais, mon cher, vous serez chez vous à cette heure-là ! Vous dormirez de ce paisible sommeil qui suit les voyages d'hiver. Votre femme de charge vous aura préparé du thé, vous l'aurez bu, et...

– Tout ce tableau d'intérieur, comtesse, repose sur l'hypothèse que je serai chez moi. Mais si je ne suis pas chez moi, si je suis chez le général gouverneur de la forteresse, m'accorderez-vous la première valse ?

La comtesse, un peu émue, regarda son interlocuteur. Kamoutsine parlait sérieusement. La chose était si rare, qu'elle en fut touchée.

– Oui, dit-elle, j'y consens.

– Vous ne la promettrez à personne ? Au premier coup d'archet, je serai là pour la réclamer.

– Prince... dit la jeune femme, non sans quelque effroi, vous jouez votre tête !

– Elle ne vaut pas une valse avec vous... Je serai plus que payé si vous me tenez parole, murmura Kamoutsine.

Il se leva.

– J'espère que tout cela est une plaisanterie, dit la comtesse en souriant d'un air inquiet.

– Pariez-vous que j'y serai ? dit le jeune homme en s'inclinant.

– Non... si... je ne sais pas ! Avec vous, on ne sait jamais...

– Je parie une discrétion, comtesse, et j'aime à croire que vous tiendrez le pari. À demain.

Kamoutsine effleura de ses lèvres le poignet de la comtesse, au-dessus du gant, et disparut sans lui laisser le temps de répondre.

Comme il l'avait dit, ses gendarmes l'attendaient chez lui. Une *kibitka* de voyage, sorte de traîneau couvert et fermé, stationnait devant la porte. Il y monta sans laisser aux représentants de la force armée le temps de dîner, ce qui les fit grogner un peu, mais en dedans et respectueusement, comme il convient en présence d'un supérieur. Pour être leur prisonnier, Kamoutsine n'en était pas moins leur supérieur hiérarchique.

Ce voyage fut émaillé d'une quantité prodigieuse d'incidents : le valet de chambre de Kamoutsine, envoyé en courrier, devait être gris tout au moins, fou peut-être, car aux premiers relais les chevaux n'étaient jamais prêts, les postillons ne se trouvaient pas... bref, la première partie de la nuit fut pleine de mésaventures, parmi lesquelles l'absence de souper brillait au premier rang.

Vers minuit, l'enchantement cessa. La kibitka, attelée de vigoureux chevaux, guidée par des postillons plus rapides que le vent, glissait comme un rêve sur la neige unie et solide...

Mais le souper n'apparaissait toujours pas.

Enfin, vers deux heures, l'éternelle question : – Avez-vous quelque chose à manger ?... obtint une réponse affirmative. Kamoutsine, jusque-là profondément endormi dans son équipage, descendit en se frottant les yeux, et invita sa garde à souper avec lui.

Le repas était friand. On servit dans des cruches un kvas mousseux qui avait le pétillement du vin de Champagne ; – à vrai dire, c'était du vin de Champagne légèrement modifié pour la circonstance. Kamoutsine, bon enfant, offrit à ses braves gendarmes une rasade d'eau-de-vie, – c'était de l'alcool, – et au bout de vingt minutes, saisis par le contact de l'air glacé du dehors avec la chaleur de la station du poste, affaiblis par le jeûne prolongé, grisés par les boissons fallacieuses, les quatre protecteurs des lois ronflaient à qui mieux mieux, sur – ou sous – la table.

Kamoutsine, qui avait l'esprit jovial, fit sur eux un signe de croix pour écarter les mauvais rêves, prit sa pelisse et sa valise, sortit, et trouva devant la porte un traîneau de paysan. Malgré la piètre apparence du cheval, celui-ci, qui depuis la veille n'avait mangé que de l'avoine, prit un trot rapide. Des relais excellents étaient préparés à toutes les stations, et vers huit heures du matin, notre héros franchissait la porte de la capitale qui l'avait si méchamment banni de son sein.

Devant la porte du restaurant où il avait exercé d'une façon purement spéculative les nobles fonctions de sommelier, se trouvait une kibitka de voyage assez maculée pour justifier d'un long trajet. Kamoutsine entra dans la maison, changea son uniforme pour un costume civil qu'on lui tenait prêt, ressortit aussitôt, et monta dans la kibitka. Son fidèle valet de chambre, qui ne l'avait pas quitté, prit les rênes des trois chevaux attelés en arbalète, et d'un train d'enfer amena l'audacieux parieur jusque dans l'île de Saint-Pierre et Saint-Paul... dans la forteresse... devant le palais de S. Exe. le général gouverneur !

La valetaille accourut et le reçut comme quelqu'un dont on attend la venue...

– Annoncez le neveu de Son Excellence, dit Kamoutsine de l'air le plus calme.

Et la valetaille se précipita dans les escaliers avec sa valise pendant qu'il entrait sans se presser.

Le général gouverneur accourut aussitôt.

– Mon cher neveu, s'écria le gouverneur en lui tendant les bras, sois le bienvenu chez nous ! Je t'attendais depuis huit jours.

– Je vous demande pardon, mon oncle, j'ai été retardé, je vous expliquerai cela...

– Oui, oui, je comprends... Comme tu es changé ! je ne t'aurais pas reconnu ! Tu es fatigué, hein ?

– J'ai passé trois nuits en voyage pour arriver plus vite...

– Ce pauvre ami ! Eh bien, viens prendre une tasse de thé ! Justement j'étais en train de déjeuner. Ta tante dort encore. Tu sais, nous donnons un bal ce soir.

– Un bal ! j'ignorais... mais en tenue de voyage... je ne peux pas...

– Tu n'as pas apporté ton frac ?

– Si, mais il est dans mes bagages, que j'ai laissés en arrière.

– On t'en fera venir un de chez un tailleur. Nous ne sommes pas en province, ici ! Eh ! eh ! on trouve tout prêt, ici ! Allons, viens.

Le général gouverneur entraîna son pseudo-neveu dans la salle à manger, et tout en lui servant du thé brûlant, que Kamoutsine avala sans se faire prier, il lui adressa mille questions sur sa famille, sur ses amis, sur Odessa, qu'il avait soi-disant quitté depuis peu.

Kamoutsine répondait avec un sang-froid imperturbable. Jamais il ne s'était laissé prendre sans vert, et ce n'est pas en cette occasion solennelle que les ressources allaient lui faire défaut.

– Mon Dieu ! s'écria le général en un moment d'expansion, que tu as donc changé ! Je ne t'aurais pas reconnu ! Pourtant, tu ressembles à ta mère !

– On le dit, mon oncle, répondit le jeune homme sans se troubler ; je n'en suis pas juge.

– Tu étais haut comme ça, fit le gouverneur en montrant la table ; tu avais cinq ans, je crois...

– Quatre ans et huit mois, mon cher oncle.

– Oui, c'est cela ! Quelle mémoire prodigieuse ! Et dis-moi, ta tante Élisabeth...

– Veuillez m'excuser, mon cher oncle ; je meurs de fatigue. Je crois vous avoir dit que j'ai passé trois nuits en voyage.

– Tu as raison ! Je suis un imbécile. Ta chambre est prête, va te coucher un peu ; ta tante t'excusera.

– Et si je ne me réveille que ce soir ?

– Eh bien, pourvu que tu sois prêt pour le bal...

– Mais cet habit, je ne puis aller le chercher ; je vous avoue...

– Sois tranquille : donne tes habits au domestique ; on ira te chercher ce qu'il faut, tu n'auras qu'à t'habiller quand tu te réveilleras.

Kamoutsine se laissa conduire à sa chambre, se mit au lit, et tira de son portefeuille une lettre qu'il avait reçue deux jours auparavant. C'est ce chiffon de papier qui lui avait inspiré son équipée.

« ... Nous avons bien ri avant-hier, lui écrivait un de ses camarades en congé à Moscou : le neveu de notre nouveau général gouverneur vient d'arriver d'Odessa, et dès le premier soir il s'est fait plumer jusqu'au sang par des gens qui jouent très bien l'écarté. Comme il a perdu plus qu'il n'avait, et qu'il n'est pas très malin, il s'est constitué prisonnier sur parole en attendant que ses fonds lui arrivent d'Odessa.

« Nous allons le voir à tour de rôle, et nous lui répétons tous les mêmes condoléances : il ne s'en est pas encore aperçu depuis quarante-huit heures ! Ce qu'il y a de meilleur, c'est qu'il a une peur bleue de son oncle de Saint-Pétersbourg. Pourquoi ? il n'en sait rien lui-même, n'ayant jamais vu cet oncle depuis qu'il était tout petit ; mais il aimerait mieux mourir que de lui avouer son escapade. Au train dont va la poste, il a encore pour dix ou douze jours de réclusion volontaire. Il est assez nigaud pour tenir jusqu'au bout... »

– Dans dix jours, se dit Kamoutsine en repliant le papier, je serai bien tranquille... Où serai-je ? Peut-être sur la route de Sibérie... Bah !

dormons en attendant.

Il se coucha sur l'oreille droite, et dormit tout d'une traite. À l'heure du dîner, il se fit servir dans sa chambre, sous prétexte de fatigue, puis revêtit à loisir le costume qu'on lui avait apporté et qui se trouva lui aller assez bien. Assis dans un bon fauteuil près de la fenêtre, il regarda les équipages arriver à la file jusqu'au perron, versant sur les marches couvertes de tapis un torrent de velours, de satin, de dentelles, de diamants et d'uniformes ; il écouta le bruit de la vaisselle plate qu'on préparait dans une autre salle pour le souper, et pensa mélancoliquement qu'il n'y toucherait pas.

Puis les gémissements affreux que fait entendre un orchestre sous prétexte de prendre le *la* frappèrent agréablement son oreille.

Enfin, au coup de dix heures, un domestique entra tout en hâte :

– Monsieur, dit-il, Son Excellence vous fait savoir qu'il est temps de descendre.

Il descendit l'escalier tapissé de drap rouge, – sans se presser, comme il sied à un membre de la famille ; – l'hymne national annonçait que l'Empereur venait d'entrer. Il se mêla à la foule, et franchit la porte.

D'un coup d'œil rapide, il parcourut la salle et reconnut bientôt la jolie comtesse Damérof, qui, un peu pâle, un peu agitée, ne quittait pas des yeux la porte d'entrée. Il se fit présenter à elle par son oncle, qui se multipliait pour être partout à la fois. La comtesse regarda à peine le jeune provincial ; elle cherchait des yeux un uniforme de la garde.

Les derniers accords de l'hymne national expirèrent dans une tenue solennelle, et aussitôt commença une valse de Strauss.

– Comtesse... dit la voix de Kamoutsine.

La jeune femme tressaillit, et le regarda.

– Permettez au neveu du général gouverneur de réclamer l'exécution de votre promesse.

Il enlaça la comtesse Damérof et l'entraîna dans le tourbillon.

– Mon Dieu ! que vous êtes drôle en civil ! s'écria-t-elle en noyant son émotion dans un éclat de rire.

Ils firent ainsi le tour de la vaste salle. À tout moment, Kamoutsine rencontrait un visage de connaissance et recevait le regard de deux yeux étonnés interrogateurs.

Avant qu'il eût achevé la moitié de son évolution, trente personnes l'avaient reconnu malgré son déguisement, et ce petit frémissement qui annonce une hilarité contenue courait dans les groupes curieux.

Comme il ramenait la comtesse à sa place, il lui serra légèrement le bout des doigts.

– J'ai gagné mon pari, dit-il ; – j'irai réclamer l'enjeu... quand l'autorité supérieure voudra me le permettre.

La comtesse rougit légèrement et ne répondit pas.

– J'ai risqué ma tête, comme vous me faisiez l'honneur de me le dire hier. Serez-vous bonne payeuse ?

– Je tâcherai, répondit-elle, pourvu que ce soit raisonnable.

– Je serai généreux, répliqua-t-il en souriant. Au revoir.

Il la salua et fit volte-face. Comme il se préparait à gagner la porte, le général gouverneur l'arrêta par le bras et le mit en face du ministre de la cour.

– Permettez-moi, Votre Excellence, lui dit-il, de vous présenter mon neveu, qui arrive d'Odessa. Je le recommande vos bontés...

– Enchanté ! murmura le ministre d'un air distrait.

Il leva les yeux pour regarder celui qu'on lui recommandait de la sorte... mais Kamoutsine était déjà loin.

– Un peu sauvage !... murmura le gouverneur en manière d'excuse. Un provincial.

Le regard du ministre essaya de suivre les mouvements du prétendu neveu, mais celui-ci s'était enfin frayé un chemin vers la porte, et il avait disparu.

Un aide de camp arriva tout effaré.

– L'Empereur vous demande, Excellence... balbutia-t-il en s'adressant au ministre. Sa Majesté est furieuse...

– Qu'y a-t-il ? demanda vainement l'Excellence en suivant le messager.

– Kamoutsine est ici ! dit l'Empereur du ton le moins aimable.

– Votre Majesté... Est-ce possible !...

– Il est ici, vous dis-je ! Faites-le arrêter immédiatement, et sachez qui l'a amené.

Le ministre s'empressa de courir au maître du logis.

– Kamoutsine est ici. Faites-le arrêter.

– Qui ça, Kamoutsine ?

– Le jeune homme qui a été banni... Dépêchez-vous ! L'Empereur est furieux.

– Ah ! mon Dieu ! s'écria le gouverneur en levant les bras au plafond. Tout de suite... Kamoutsine est ici... dit-il au premier fonctionnaire qu'il rencontra. Faites-le arrêter, et sachez qui l'a amené.

Ce fonctionnaire courut et transmit l'ordre. On se mit à chercher Kamoutsine.

– Avez-vous vu Kamoutsine ? se demandait-on.

– Parbleu ! dit quelqu'un. Il a valsé avec la comtesse Damérof.

On alla trouver la comtesse Damérof.

– Madame, vous avez valsé avec Kamoutsine, l'Empereur est furieux... il veut savoir qui l'a amené.

– Bien sûr, ce n'est pas moi, dit-elle de l'air le plus naturel. Je n'ai fait qu'un tour de valse, c'était avec le neveu du gouverneur, qui arrive d'Odessa.

Le général gouverneur accourut, absolument hors de lui. La comtesse lui posa son éventail sur le bras.

– N'est-ce pas, général, que vous m'avez présenté votre neveu ?

– Certainement, comtesse, mais il n'est pas question de cela... C'est Kamoutsine que je cherche : l'Empereur est furieux, il veut savoir qui l'a amené.

La comtesse lui tourna le dos. Au même instant, le ministre de la cour fondait sur l'amphitryon en détresse.

– L'Empereur est furieux !... dit-il.

– Je le sais bien ! s'écria le gouverneur.

– Et vous n'avez pas honte de me faire tremper dans cette

mystification ?

– Mais, Excellence, je ne comprends pas...

– L'Empereur est furieux, vous dis-je !... Et il partit en roulant des yeux terribles.

Un jeune aide de camp, prenant enfin pitié de sa peine, lui souffla à l'oreille :

– Excellence, c'est vous qui avez amené Kamoutsine...

– Moi ? par exemple !

Le gouverneur le prit de très haut ; – et réellement, pour un simple aide de camp, la plaisanterie était trop forte ! Le jeune homme insista :

– C'est vous qui l'avez présenté à la comtesse Damérof.

– Mais pas du tout ! J'ai présenté mon neveu !

– Votre neveu n'est pas votre neveu, c'est Kamoutsine... Et vous comprenez si l'Empereur doit être furieux...

Le général s'assit sur une banquette et se prit la tête dans les mains.

– Triple brute ! s'écria-t-il. Aussi je trouvais qu'il ne lui ressemblait pas !

On savait enfin qui avait amené Kamoutsine. Mais le faire arrêter n'était pas si commode : il s'était évaporé, emportant dans sa hâte le frac de cérémonie que le gouverneur lui avait procuré.

Il avait eu cependant la générosité de laisser sur la table de sa chambre la lettre qui justifiait l'infortuné gouverneur. Cette lettre, aussitôt saisie, fut portée à l'Empereur, qui daigna rire. Le tour était vraiment bien fait.

Mais la miséricorde impériale ne devait pas s'étendre au coupable. Des limiers furent envoyés dans toutes les directions ; – on ne pensa à les expédier au lieu d'exil qu'après avoir épuisé toutes les conjectures. Vingt-quatre heures furent ainsi perdues. La police, en arrivant, trouva Kamoutsine dans le château de ses pères ; il lisait une revue étrangère et prenait son café.

– Vous avez manqué de respect au souverain ! lui dit l'officier de police.

– Moi ! De quelle façon ?

– En vous rendant au bal du gouverneur.

– Allons donc ! Peut-on se moquer ainsi d'un pauvre exilé ? Je suis ici depuis près de quarante-huit heures, j'obéis à l'arrêt d'exil qui m'a douloureusement frappé.

– Vous avez grisé vos gendarmes.

– Quelle calomnie ! Ils se sont bien grisés eux-mêmes. Est-ce que vous croyez qu'il faut se mettre à plusieurs pour griser un gendarme ?

– Vous les avez grisés pour vous évader.

– Autre calomnie ! Quand j'ai vu qu'ils dormaient si profondément, je suis venu ici de moi-même. C'était humiliant d'être conduit par des gendarmes.

– Vous vous êtes présenté en rupture de ban chez le général gouverneur...

– Qui vous a raconté cette histoire ?

– Mais trente personnes vous ont reconnu !

– Trente personnes à la fois ? La Providence m'aurait-elle départi à mon insu le don d'ubiquité ? Vos trente personnes ont été victimes d'une illusion bien bizarre, car vous voyez vous-même que je n'ai pas quitté cette maison depuis deux jours.

– C'est possible... dit l'officier de police qui commençait, en effet, à se demander s'il avait la berlue. Mais j'ai ordre de vous ramener à Pétersbourg.

Kamoutsine regarda d'un air froid son interlocuteur ahuri.

– C'est une plaisanterie, monsieur, lui dit-il ; elle n'est pas bonne, – mais il paraît que je dois la subir...

Il se laissa emmener. Pendant tout le voyage de retour, il garda si bien le ton de la dignité froissée, que ses sbires restèrent absolument persuadés de son innocence.

L'Empereur avait ri... Kamoutsine en fut quitte pour trois mois de forteresse, mais non cette fois dans le palais du général gouverneur, qui lui garda rancune toute sa vie.

On ne dit pas si la comtesse Damérof se montra bonne payeuse.

Une mère russe

Je me trouvais à Nogent-sur-Marne, près de Paris. Le coteau fuyait pour ainsi dire sous nos pieds, jusqu'à la rivière, bordée de hauts peupliers. Une vapeur blanchâtre envahissait le jardin et montait peu à peu, enveloppant de mystère les massifs de bégonias aux larges feuilles pourprées ; les héliotropes et les dernières roses envoyaient leurs parfums mourants, et les traînes légères de la vigne vierge, colorées de toutes les nuances du carmin, couvraient la maison d'un voile flottant aux plis bariolés. Les arbres semblaient des ombres, les ombres des vapeurs... dans l'obscurité quelques lumières surgirent, étoilant la plaine qui s'étend de l'autre côté de la Marne.

– Là-bas, dans le fond, dit une voix sur le perron, derrière moi, – c'est Champigny.

Champigny ! Beaucoup des nôtres – et des autres aussi, – dorment là dans les jardins des particuliers, dans les prairies, recouverts d'un tertre de gazon consacré d'une croix ; parfois aussi un massif de rosiers du Bengale, plantés sur quelque monticule par une main pieuse, semble un bouquet perpétuel offert à la dépouille désormais sacrée.

Les yeux fixés sur les lumières de la plaine, je pensais à ceux qui étaient restés dans les fossés oubliés par les vainqueurs et les vaincus, ceux qu'aucun œil n'avait reconnus pendant qu'ils avaient encore sur le visage la sombre majesté de la mort, ceux dont aucune main n'avait parcouru les vêtements pour trouver un indice, un signe de reconnaissance ; puis je pensai aux mères, aux sœurs, aux fiancées, qui avaient attendu des semaines, des mois, et qui avaient enfin pu lire dans la feuille officielle : Un tel, disparu.

Disparu ! Et les larmes muettes, désespérées ou résignées suivant les caractères, étaient tombées dans le silence des nuits sur l'oreiller brûlant, – puisque aucune terre consacrée ne devait les recevoir !

Je n'étais pas seul à retourner ces tristes pensées ; car la même voix qui avait nommé Champigny murmura :

– Il y en a bien là qui n'ont jamais été reconnus... C'est comme en Crimée...

Il faisait déjà froid, on rentra dans le salon, où une cheminée énorme flambait joyeusement. Celui qui avait parlé était un ancien militaire d'environ soixante ans, sec et nerveux comme la poudre.

– Vous avez été en Crimée, colonel ? lui dis-je.

– Oui, répondit le vétéran en se chauffant les mains, – et il n'y faisait pas bon ! En est-il resté, de ces pauvres gens, dans les tranchées !

– Des Français ?

– Des Russes aussi. Après un engagement, – je commandais alors un bataillon à... j'en trouvai un sur le dos : pauvre garçon, il n'avait peut-être pas vingt ans ; des cheveux blonds, le cou tout blanc, presque pas de barbe... il était si gentil que tout troupier que je suis, il me fit pitié.

– Un officier ?

– Non, un simple soldat, revêtu de la capote grise, vous savez ? Il avait reçu une balle dans la poitrine : son affaire n'a pas dû être longue. Il n'a pas eu de chance, car si la balle l'avait frappé un pouce plus haut, elle aurait rencontré une plaque de métal qui l'aurait fait dévier.

– Une plaque de métal ?

– Oui, une espèce de médaille, une image de saint... c'était curieux ; je l'ai rapportée en France. Mais c'est à toi que je l'ai donnée, dit le colonel en se tournant vers le fils de la maison. L'as-tu encore ?

– Elle est là-haut, répondit le jeune homme.

Il disparut et revint l'instant d'après, tenant à la main un petit sac d'indienne à fleurs, assez semblable à un scapulaire, qu'il me mit dans les mains.

C'est avec une sorte de respect que j'ouvris cette pauvre relique, refroidie sur la poitrine du jeune soldat russe ; depuis vingt ans qu'elle avait quitté le cou de son maître, elle n'était certainement pas tombée dans des mains aussi pieuses.

Le sachet contenait une sorte de portefeuille très habilement plié, de ceux que les paysans russes font avec un feuille de papier, pour serrer leur argent ; dans ce petit portefeuille reposait une image carrée de saint Nicolas Thaumaturge, en cuivre, noircie et un peu oxydée par l'humidité et les années, mais dans un état parfait de conservation.

L'image passa de main en main, excitant la curiosité et provoquant des questions auxquelles je répondis de mon mieux ; puis elle me revint. Comme je la remettais dans le petit portefeuille, je sentis sous mes doigts un papier plié, de la même grandeur, et je le retirai.

– C'est une lettre, dit le colonel. Je ne sais pas ce qu'elle contient ; puisque vous savez le russe, lisez-la.

Je dépliai soigneusement le papier jauni ; c'était du papier commun, de petit format ; l'encre vieillie était plus brune que noire ; les quatre pages étaient pleines, et pourtant la lettre n'était pas bien longue ; l'écriture inhabile quoique très ferme, et l'orthographe étrange, décelaient une main peu exercée. Je commençai à traduire lentement, déchiffrant avec quelque peine les lignes inégales ; mais arrivé au milieu de la page, je m'arrêtai, alléguant la difficulté de lire à la bougie des caractères si indistincts.

J'y voyais parfaitement ; mais je ne voulais pas continuer devant des indifférents la lecture de cette lettre touchante qui me prenait au cœur. C'était une mère qui écrivait à son fils bien-aimé ; une patriote enflammée d'un courage héroïque, une âme chrétienne résignée à la volonté du ciel, et pleine en même temps d'une foi ardente : la touchante superstition de cette femme ignorante aurait peut-être fait naître un sourire sur des lèvres railleuses, – je préférai garder la pieuse effusion de cette âme naïve pour moi, et pour mes bons vieux amis, capables de la comprendre et de l'admirer. Je demandai la permission d'emporter la lettre pour la traduire à loisir, et je l'obtins sans peine.

On a beaucoup parlé des mères de l'antiquité, de la Lacédémonienne qui se réjouissait de la mort de son fils tombé glorieusement pour la patrie... celle-ci ne s'est pas réjouie ; tous les jours, elle a offert au Seigneur ses larmes en même temps que sa prière, – je voudrais qu'un jour un poète donnât l'immortalité à l'humble paysanne qui a écrit ces lignes héroïques dans leur simplicité. Sans doute, la pauvre mère n'a jamais su où son fils avait trouvé la mort qu'elle lui disait de braver ; si elle vit, solitaire, abreuvée de douleurs dans quelque coin de l'empire russe, et si quelqu'un de ceux qui l'ont connue la reconnaît ici, – que dans la charité de son âme il lui dise que sa dernière lettre à son fils bien-aimé a fait battre plus d'un cœur et mouillé bien des yeux dans le pays lointain et désormais ami où se trouve à présent cette humble et glorieuse relique. Quelle sache, s'il se peut, que d'autres mères ont pleuré pour elle et l'ont enviée en même temps d'être si grande dans sa simplicité, si absolue dans son dévouement, si virile dans ses conseils maternels. Puisse la pauvre paysanne inconnue servir de modèle aux générations futures ! Voici la lettre, telle qu'elle est, sans y changer un mot :

« Mon cher fils Ignati Miniévitch (peu lisible),

« J'ai reçu ta lettre le jour de saint Nicolas, et je ne savais plus ce que je faisais dans l'excès de ma joie à te savoir vivant et en bonne santé. Je t'envoie mon ardente bénédiction maternelle ; que la volonté du Seigneur s'accomplisse sur toi ; sers fidèlement l'empereur notre père, verse ton sang pour lui et ne le trahis pas ; en récompense, Dieu ne t'abandonnera pas, et je le prierai pour toi en pleurant. Il est miséricordieux, il te prendra en pitié et te protégera contre les balles ennemies. Mais surtout n'aie pas peur, et marche la poitrine en avant : j'ai entendu dire par de bonnes gens qu'au baptême le prêtre fait une croix de plus sur la poitrine, et qu'il la fait avec le saint chrême, ce qu'il ne fait pas sur le dos ; on dit que c'est pour cela que les balles païennes rebondissent sur la poitrine et s'en vont de côté ; mais nous autres femmes, nous ne sommes pas savantes, et toi, mon enfant chéri, tu en sais plus que moi. Ainsi, que Dieu t'apprenne à bien servir l'empereur notre père. Le cher homme, il a beaucoup de chagrin et de soucis ; que vous autres, au moins, vous le réjouissiez par vos services fidèles. J'ai reçu ta lettre, mon cher enfant, et j'ai bien pleuré en pensant au feu et au danger dans lequel tu te trouves, – et toi, malgré cela, tu n'as pas oublié d'écrire à ta mère qui pleure, et encore, tu m'as envoyé un rouble. Mais, mon cher enfant, tu aurais mieux fait de le garder pour toi, tu as plus besoin d'argent que nous.

« Tout le monde a lu ta lettre, et les seigneurs l'ont lue et ils t'ont comblé de louanges, et moi j'avais perdu la tête de joie. Toutes tes sœurs vont bien et t'envoient chacune un profond salut. Le jour de la Trinité, Natalie est venue me voir ; elle est venue de Péter (Pétersbourg) pour passer l'été ici, et elle s'en retournera. Anna est mariée parmi les gens de service à Xénophon Mukhaïlitch ; mon gendre t'envoie un profond salut, il est ouvrier et d'un bon caractère ; ils vivent d'accord, Dieu merci. Varvara est entrée comme femme de chambre au service des maîtres, et moi j'ai été malade il n'y a pas longtemps ; mais grâce à Dieu, maintenant je me porte bien. Tous les Korkhovski se portent bien et t'envoient chacun un profond salut. Nous avons lu ta lettre, et nous avons tous pleuré ensemble. Es-tu encore vivant à cette heure, mon enfant chéri ? Je pense toujours que les méchants t'ont tué, et le cœur me manque. Je t'envoie ma lettre chargée, pour qu'elle arrive plus tôt ; si tu as dix kopecks, écris-nous et tranquillise-nous en nous disant que tu es en bonne santé. Pourquoi ces païens maudits sont-ils venus chez nous ? Est-ce qu'ils n'avaient pas de pain à manger chez eux ? Battez-les comme il faut, et chassez-les pour qu'à l'avenir cette race maudite ne se risque plus à venir combattre les chrétiens. Ne seraient-ils pas sorciers ? Il faut les chasser, mon cher enfant, et en priant, les battre comme il faut. Adieu, mon cher fils ; je t'embrasse bien fort et je te serre dans mes bras, et je prie le Créateur de veiller sur toi. Nous nous portons tous bien, et les seigneurs ne nous contraignent en rien. Tous les gens de service te saluent.

« Ta mère,

« Maria Séménova.

« 31 juillet. »

Pauvre mère ! Son fils, quelques jours après avoir reçu cette lettre, pieusement serrée sur son cœur, marchait au feu, la poitrine en avant, comme le lui commandait sa mère, et la balle cruelle le foudroyait, en pleine sève de vie et de courage patriotique. Combien de temps s'est-il écoulé avant que Maria Séménova reçût la nouvelle de sa mort ? Des mois, peut-être ! Que de lettres pressantes, désolées, n'a-t-elle pas dû écrire en voyant que son fils bien-aimé ne lui répondait pas ? Elle aura économisé sou par sou sur son maigre avoir, pour lui faire parvenir un rouble, afin qu'il pût lui envoyer une lettre. Jusqu'au jour où le doute n'a plus été possible, elle se sera cramponnée à ce dernier espoir : « Il n'a pas d'argent pour affranchir, et c'est pour cela qu'il ne peut pas écrire. »

Et quand elle a appris que son fils, – fils unique, car elle ne parle d'aucun autre homme dans sa famille, – son fils unique et adoré était tombé frappé par une balle « païenne », elle a couru chez ses parents et amis, non plus comme alors pour leur faire voir, triomphante, la lettre et le rouble envoyés par le bon fils au prix de mille privations, – mais pour leur montrer le papier fatal, la feuille de route pour l'autre vie. Sans voix, sans larmes, dans l'agonie du désespoir, elle s'est laissée tomber sur le banc, au milieu des siens muets d'angoisse. Elle a essayé de répéter les paroles de l'Écriture : « Dieu me l'avait donné, Dieu me l'a repris ; que son nom soit béni... », et sa voix s'est brisée dans les sanglots ; elle a serré sur le sein tari qui avait nourri l'enfant perdu ses bras morts de lassitude, – et elle a maudit les impies qui avaient frappé son fils, elle a maudit « les guerres détestées des mères... », les guerres fatales, atroces... et inévitables.

Ce sont des mères comme celle-là, et elles sont plus nombreuses qu'on ne le pense, qui ont soufflé à l'armée russe cette admirable discipline à laquelle tous, – amis et ennemis, – ont dû rendre hommage.

À proprement parler, Marie Séménova n'était pas une paysanne ; elle faisait sans doute partie de la domesticité d'une grande maison ; elle avait pu recueillir dans un milieu éclairé le germe des nobles sentiments que dénote sa lettre ; mais ils sont bien à elle, ses sentiments, de même que sa superstition naïve. Honneur à la pauvre mère qui a pu insuffler à son fils, en même temps que la foi qui mène au ciel, cet amour du devoir, – si douloureux qu'il soit, – qui fait les grandes nations !

Milton Keynes UK
Ingram Content Group UK Ltd.
UKHW051057140823
426838UK00011B/651